脳から見るミュージアム

アートは人を耕す

中野信子　熊澤 弘

講談社現代新書

2592

はじめに　ミュージアムは脳に似ている

中野信子

眠れるミュージアム

２０１８年から私は、東京藝術大学大学院国際藝術創造研究科（博士後期課程）で、主にキュレーションについて学んでいる。

キュレーション（curation）とは、いまやネットメディアの用語としてお馴染みかもしれないが、本来はミュージアム（美術館や博物館）における仕事の一つをいう。それは、展覧会を企画し、収集した膨大な作品から選び抜いたものを特定のテーマの文脈に位置づけて配置し、展示を構成するという、美術館・博物館の業務のなかでもひときわクリエイティブな仕事といえるかもしれない。

もとより私の専門は脳科学であるが、なぜ美術館・博物館の仕事に興味を持ったのかというと、マクロな視点で見れば、これらは脳のある種の機能に似ているからだ。

私たちは人生の３分の１を睡眠に充てている。眠りでは、レム睡眠とノンレム睡眠が繰り返されているということはご存じだろう。レム睡眠中、脳はせっせと記憶を整理し、それを固定させたり整理したりしている。ノンレム睡眠中は、脳に蓄積してしまったゴミを脳脊髄液の波が洗い流している。

このように、私たちが眠っている間も、脳はせっせと働いているのだ。

休館中の美術館や博物館も、脳と同じく稼働している。作品を整理したり、研究したり、何年もかけて次の展覧会の準備をしたりしている。外からは見えないが、長年、粛々と進められてきた仕事にこそ、美術館・博物館が担う重要な使命があるということはあまり知られていないのではないだろうか。

「美」は脳のどこで認知されるか

しばしば自然科学は、ミュージアムやアートの類とは正反対の世界ではないかと言われる。だがそんなことはないのであって、私たちは光がなければモノを見ることすらできないし、「美」の認知についてすら研究が進められていて、これは脳の前頭葉の前頭前野が行っていることが実験によって明らかになっている。

たとえば、夕日の美しさ、絶景といわれる眺望の美しさ、宝石の美しさなど、世界共通で時代を経ても変わらない普遍的な「美」については、この領域で認知している。

ただ、もう少し脳の機能を詳細に詰めていくと、どうやら「美」にはもう一種類あるようなのだ。たとえば、ある芸術作品を観て、それを「美しい」と思う人もいれば「そうでもない」と思う人もいる。「美しい」と思う人は高いお金を払ってでも欲しいと思うかもしれない。

しかし、時が経ち、あるいは他者はそれほど評価していない、などのことが明らかになったとすると、途端に欲しくなくなったりすることがある。そうした変化し続ける「美しさ」の価値を認知するのは、脳の別の領域が行っている。

ヒトの脳がどのようにして芸術作品の美しさを感じるのか、この研究分野の草分け的な存在であるロンドン大学のセミール・ゼキ教授は、芸術作品を観て「美しい」「これは自分にとって良いものだ」と感じると、内側前頭前皮質の血流がアップすることを突き止めた。

作品だけでなく、美しい顔を見たときにも同じように反応する。しかも、美人だけではなく、それほどでもないと思う面立ちの人が笑顔になったのを見ても、同じように反応したりするのが興味深いところだ。

ということは、この領野は必ずしも外形的な美醜だけではなく、そこに備わるそれ以上の意味を認知しているのだと推測される。

このもう一つの「美」については、先にふれたとおり感じ方が変わりやすい。ついこの前までは美しい、クールだ、好きだと感じていたものが、すぐに陳腐化してダサく感じられるというようなことがしばしば起こるわけだ。

実は、これらの領野は2つとも「社会脳」といわれる回路の一部である。前者は自分の主観的な好みを決めているところで、後者は他からの情報や過去の記憶に左右される。つまり、ブレるのだ。しかし、どうしてヒトにそんな機能が備わっているのか。生きていくうえで、「美」について感じ方がブレる必要があるのだろうか――。

このように、「美」については従来、そしてこれからも十分に脳科学の研究分野であるといえる。

ホモ・サピエンスは「美」を必要とした

そもそも「美」を感じるということ自体、生きていくためには不要不急のものと特に日本では思われている。これは本当に、ヒトが生きていくうえで必要なものなのだろうか。

名古屋大学博物館、千葉県立中央博物館、東北大学、明治大学、東京大学などの共同研究チームが2019年、4万〜4万5000年前のホモ・サピエンスの特異な行動について研究成果を発表している。

4万〜4万5000年前というのは古代型人類のネアンデルタール人と現生人類のホモ・サピエンスが共存していた時代で、やがてネアンデルタール人のほうは絶滅していくわけだが、この両者にはどのような違いがあったのか、という点について示唆を与えるのがこの研究だ。

研究チームが調査したのは、現在のヨルダン南部に遺るネアンデルタール人、ホモ・サピエンスそれぞれの集落の遺構である。

このうち、ホモ・サピエンスの遺構だけから見つかったものがある。それは食用にならない小型の貝殻の化石だった。集落があったところは内陸乾燥地域であり、この貝は当該地域から55㎞も離れた海でしか採れないものであった。これは何を意味するのか。

もっとも、海岸から離れた場所で貝殻が見つかるということはこの遺構に限ったことではない。しかし、ここで見つかった貝殻はどうやら象徴品としての役割を果たしていたようだということが新しい発見なのである。

つまりホモ・サピエンスだけが貝殻を象徴品として用いていたという行動が何を意味するのか。この貝殻は、後の時代にはビーズの素材として使われたものである。この時代にも装飾に使われたのか、あるいは地位や権威を表すものとして使われたのか。いずれにしろ、ホモ・サピエンスは「食べられる」という目先の価値ではなく、「美しい」という価値を重視していたことがわかる。「美しい」を価値として採用した集団のほうが現在まで生き延びている……というのが肝要な点だ。つまり、「美」を感じることは、私たちが生きるために不要でも不急でもなく、まさに必要不可欠なものだ、ということをこの研究データは示唆している。

ミュージアムの扉が開き始めた

２０２０年、新型コロナウイルスのパンデミックにより、世界中の美術館や博物館が扉を閉じていたさなかに、創立１５０周年を迎えたメガ・ミュージアムがすごいことをしかけてきた。

Nintendo Switch『あつまれ　どうぶつの森』（通称『あつ森』）は、外に出ずにたやすく楽しめるということで、本年（２０２０年）、人気の高まったゲームである。仮想ゲームの世界でタヌキさんやキツネさんの力を借りながら自分の暮らしをクリエイトしていくという、なんとも人をほっこりさせる世界観のゲームで、国内外の２０００万を超える老若男女が参加しているという。

このゲームの制作側にニューヨークのメトロポリタン美術館が正式参入したのである。ゴッホでもピカソでもクリムトでも北斎でも、ゲームの参加者はメトロポリタンミュージアムの収蔵品のなかから好きな絵画を取りこんで、仮想マイホームに飾ったり、コレクションしたりしてその暮らしを豊かにすることができるのだ。

確かに本物ではない。しかし、こうしてゲームを通して作品に触れることで、作品にも、作家にも、そしてミュージアムにも親しむことができる。こうした体験は、作家や作品への理解をより深めるだろう。いずれバーチャルではなく本物の作品に会いに行きたくもなるだろう。長じて彼らはアート界のよき理解者となり、観客ともなり、スポンサーともなるだろう。

脳に効く「美」を求めて

さて、新型コロナの波がいったん収まり、閉ざされていたミュージアムの扉がようやく開き始めた。要・不要でない生の本質にもう一度ふれるために、今こそミュージアムが必要とされる時である。

ウィズ・コロナの新しい生き方を模索し始めた今こそ、私たちに必要な、脳に効く「美」を求めて、ぜひミュージアムに出かけてみてはいかがだろうか？

実は、ミュージアムは「美」が展示されているだけの場所ではない。知れば知るほど、とてつもなく奥が深い世界なのだ。人類の記憶のアーカイブに潜っていくような、(良い意味での)妖しさ、ヤバさがある。

東京藝大には大学美術館があるが、大学美術館准教授の熊澤弘先生はいわば「ミュージアムの達人」で、世界のミュージアムの成り立ち、展示、ミュージアムの持つ資料から博物館学の実習に至るまで、私が教えを乞うている先生の一人である。

ここからは熊澤先生の力をお借りして、仮想ゲームのミュージアムよりも、リアルなミュージアムこそがはるかに熱いのだ——ということを読者の皆さんと一緒に体験していきたい。言ってみれば、探検家・中野信子が、案内人・熊澤弘先生とともに、ミュージアムの深遠なる魅惑の世界に分け入っていこうというわけだ。

まず第1章では、ミュージアムの起源、私たちが今日、古今東西の芸術作品を鑑賞できるようになるまでの歴史やミュージアムの役割、それらが存在する意義について、時折見え隠れする闇の部分も含めて学んでいく。

第2章では、幾多の展示品・所蔵品のなかから、「ヤバい」もの、論争のタネになってきたもの、ワケありの歴史などを探っていくことで、ふだん私たちが接しているミュージアムの別の顔・側面について考えていきたいと思う。

続く第3章では、熊澤先生と私の鑑賞体験や、海外だけではなく、明日にでも行ける日本の面白い美術館、穴場である地方のミュージアムも多数紹介する。と同時に、作品をどのように見ればよいのかについても考えてゆきたい。

そして第4章では、アフター・コロナ、あるいはウィズ・コロナの時代のアートについて、なぜそれが私たちに必要なのかを考えながら、新たなミュージアムの扉を開ける準備を整えることにしよう。

この「探検本」を読み終えるころ、読者の皆さんは、世界各地のミュージアムの歴史やそこに所蔵された作品の面白さはもちろんのこと、その舞台裏で静かに働いている学芸員の役割やアートの鑑賞術などの基礎知識も身につけているはずだ。

ミュージアムは、入る前と後とで物の見方が変わる体験ができる場所だと思うが、この基礎知識を身につけることで、ミュージアムに行く体験自体がこれまでよりもより深まるかもしれない。

また、ミュージアムに行くと、自覚されるかどうかにかかわらず、人間のなかで必ず化学反応が起こる。その明日の自分には変化が現れないかもしれない。けれど、3年後、10年後のあなたは必ず変わる。

本書を読み、ミュージアムを訪れて、どうかミュージアムの不思議な力を体感してみていただけたら、と思っている。

目次

はじめに　ミュージアムは脳に似ている　中野信子――3

第1章　ミュージアムの誕生
――その華麗にして妖しい魅力に満ちた世界――19

中野信子、案内人・熊澤弘と出会う　20
「バーンズ・コレクション展」の記憶　21
作品よりもミュージアムが注目されるとき　23
はじまりは「驚異の部屋」　26
「神の視点」に挑んだ画家　29
インスタは現代版ヴンダーカンマー　31
死後の整理から始まった大英博物館　33
「秘宝」から「会いに行ける美術品」へ　35

国家の「ブランディング戦略装置」として　37
万国博覧会の歴史　39
展示品には「集める側の論理」が働く　42
記憶の三段階　46
ミュージアムは記憶を司る脳である　48
日本のミュージアムの起源　50
「薬品会」と「物産会」　51
コレクターと「絶対美感」　55
美術品は誰のものか　59
蔵が深い　63
収集基準でその時代の空気がわかる　65
ミュージアムには経済的価値を超えた価値がある　69
忘れないための場所　72
コラム　日本に「博物館」が登場するのはいつ？　74

第2章　ミュージアム、その陰の部分——論争・ワケあり・ヤバいもの

ナチスに翻弄されたコレクション　78
コレクターと館長の力　81
マインド・パレスを支配する　83
性的表現・ヌードをめぐる論争　85
クレームとの戦い　88
「公共性」とはなにか　93
《世界の起源》の前で……　94
「冒瀆的な作品を作るとは何事だ！」　96
作品の意味・恐ろしさがわからない世代　98
新たな意義を見出す学芸員　101
学芸員の使命　104
見えにくいものにこそコストをかけよ　107

閉館時も静かに準備し続けている　109
断捨離はしないほうがいい？　113
近代資本主義とミュージアム　115
アムステルダム博物館はすべてをさらけ出す　118
「敵の視点」を紹介する余裕　121
大量殺人犯の作品の展覧会　124
目に見えない価値を与える機構　127
まさに「お蔵入り」　130
コラム　原爆投下——同じモノでも収蔵・展示の違いで意味は変わる　132

第3章　実際に鑑賞してみる
——どんな作品をどのように観たらよいか？　135

初めての美術体験　136
感じ方が変わる　138

自分の中で化学反応が起こる　140
ミュージアムとギャラリー　144
ミュージアムの面白い取り組み　149
中村キース・ヘリング美術館の感性　152
金沢21世紀美術館の賢さ　155
コレクションが売却されないように　158
ルーヴル美術館で遭難しかける　160
大英博物館の彫刻は漂白されている　163
地方のミュージアムの常設展がいい　165
常設展で「整う」　169
正しい鑑賞法なんてないか？　174
問いを立てながら観る　177
情報には縛られなくていいが、重要なもの　179
コラム　東京藝術大学にはどんなコレクションがあるか　182

第4章　これからのミュージアム体験
――アートはなぜ必要なのか？―― 187
アフター・コロナの課題 188
10年後、幸せに生きていくために必要 191
現代アートはわかりにくい？ 193
アートは人を耕す 197
アートとは何か 200
キュレーターは黒子か 203
どのようにして批評家は批評家たり得るのか 207
日本人は毒気を抜かれている 209
脳のアートする領域 211
アートが社会にもたらす絶大な効果 215

おわりに　日本は世界に類を見ないミュージアム大国　熊澤弘―― 217

第1章　ミュージアムの誕生

——その華麗にして妖しい魅力に満ちた世界

中野信子、案内人・熊澤弘と出会う

中野　熊澤先生、私は大学院に通うにあたって、せっかくお金を払うのだから、たくさん講義をとらねば損だ、とばかりに、博物館概論から美学史、東洋音楽史まで授業のコマいっぱいいっぱいいっぱいに登録し、ワークショップや内外のミュージアムにもせっせと出かけていきます。

もちろん先生の講義もしっかり拝聴しています。

熊澤　はい、よく知っています。私は最初、教える学生の中に中野信子という人がいるぞ、脳科学者の中野さんに似ているが、まさか本人か？　違うだろう？　やっぱり本人だ！　と、随分と驚いたんですよ。

中野　（笑）。私も先生が驚かれたことに驚きました。面白いな、と思ったのがまず、先生の授業で最初に示される「免責事項」でした。必ず授業の始めに、思想・信条・宗教をすすめるものではないことや、気分が悪くなったらすみません、ということを箇条書きにしたものを大写しにされるんですよね。

それに続く講義の内容もあまりに面白くて、いつか熊澤先生とミュージアムやアートについて対談できたらいいな、とつねづね思っていたのです。

熊澤　私は、レンブラント（1606～69）をはじめとする17世紀オランダ美術史を中心とするヨーロッパ美術史研究を専門としていて、同時に様々な美術展覧会の企画監修に関わっています。

大学では、大学美術館のコレクション管理に関わるほか、博物館・美術館を巡る学問である「博物館学」を講じています。

中野　そうでしたね。アムステルダムをはじめ、オランダ美術のことをお話しされる先生のお姿は、ひときわ熱が入り、聴講していてワクワクしました。そこからさらにお話を広げていけると思うと本当に楽しみです。よろしくお願いいたします。

熊澤　こちらこそ、よろしくお願いいたします。

「バーンズ・コレクション展」の記憶

中野　美術館の思い出話から始めてみたいと思います。1994年の春に、国立西洋美術館の「バーンズ・コレクション展」を観にいきました。大学受験を終えて間もない時期で、その日は朝から雨が降っていたのですが、行ってみたらまず、長蛇の列にびっくりしたんです。

　絵を観るためにどうしてこんなに並ぶんだろう、やっぱりそれだけの価値があるんだな、でもみんな本当にその価値がわかって並んでいるんだろうか？　とか心の中でつぶやきながら私も3～4時間は並びました。なにしろ、セザンヌの《大水浴》《カード遊びをする人々》、スーラの《ポーズする女たち》、マティスの《生きる喜び》など、多くの幻の名画が来日していたわけですから。

　アルバート・C・バーンズ（1872～1951）はアメリカの実業家で、個人の美術コレクターとしては世界最高峰です。フランスの印象派からエコール・ド・パリまで2500点ほど所有していましたが、それらは遺言により門外不出で複製も禁止されていた。

　ところが、バーンズ家の展示室が老朽化し、その改修費用を稼ぐために、初めてワシントンのナショナル・ギャラリー、パリのオルセー美術館、そして東京の国立西洋美術館にコレクションが貸し出されたんですね。

熊澤　伝説の展覧会に行かれていたようですね。主催した読売新聞が「門外不出」「非公開」を謳って、いわゆる「ブロックバスター」と呼ばれる大規模な特別展をやった。お金をかけてデカい花火を高く打ち上げてバーンと広がるような広告戦略は、美術フアンのみならず多くの人の目を引き、入館者はのべ107万人を超えました。入場を待つ列の長さは、最終日近くになると12㎞に及んだといいます。展覧会の図録が一日に8000冊も売れるという、すごい展覧会でした。

中野 図録は今でもネット書店で売られていますね。それまでも私は美術館にはよく通っていて、「自分」対「作品」、つまり、自分が作品をどう見るか、作品は自分にどのような影響を与えるかという見方をするのが好きだったんですが、「バーンズ・コレクション展」では**作品のコレクションが人を動かす、社会を動かす**ことを目の当たりにするという、私にとっては衝撃的な体験でした。

熊澤 60年代には「ミロのビーナス特別公開」「ツタンカーメン展」、70年代には「モナ・リザ展」で、入館者数がミリオン超えしています。「大量にお客さんを呼ぶ展覧会」というカルチャーは現在でも続いていて、フェルメール、オルセー美術館展、ムンク、クリムト、それから伊藤若冲、阿修羅像、正倉院も大変な人気でしたね。

作品よりもミュージアムが注目されるとき

中野 熊澤先生は講義の中で、「人気の展覧会には何時間も並んで入場する人がたくさんいるのに、普段の美術館や博物館は見向きもされない」とこぼしていましたね。

熊澤　博物館、美術館をはじめとして、文化遺産、文化財などに関して、一般のメディアが大々的に報じるのは、まさかの大トラブルに見舞われたときが挙げられます。

２０１９年では、10月に多摩川沿いにある川崎市市民ミュージアムが、台風19号による水害によって水没したことがまず思い出されます。同じ10月に沖縄・首里城址の正殿、北殿、南殿などが焼け落ちた様子、海外では4月にパリのノートルダム大聖堂の屋根と尖塔が焼失した様子もさまざまなメディアで報じられました。

新型コロナウイルスによって世界中の文化施設が閉鎖を余儀なくされていますが、一般メディアはこのような視点から注目しているのではないかと思います。

次に、美術館／博物館に盗難事件が起きたとき。絵画の盗難自体より、盗まれたものの評価額が話題になったりします。泥棒ではありませんが、２００１年のタリバンによるアフガニスタン・バーミヤンの仏像破壊や、２０１５年のＩＳによるイラク・モスル博物館の古代彫刻の破壊など、国が不安定になっているときのテロ行為で遺跡や博物館が荒らされたときも、世界的な注目を浴びました。

３つ目が、来場者で溢れたとき。入場者数や入場待ちの大行列などがニュースの絵になります。メディアを「賑わす」という意味となると、このようなスキャンダル的な視点から注目されることが多く、それ以外では採り上げられる機会は少ないでしょう。これ以外のことでも報道されるべきことは数多くあるんですけどね……。

中野　首里城焼失の様子について講義でお話しされたときのことをよく覚えています。ああ、先生はやはり「現場の方」なのだな、と感慨を新たにしました。確か、火災の翌日が講義でした。

博物館学や美学という学問分野があることもあまり知られていないかもしれません。東京藝大で博物館学を受講する中で、私は、ほとんどの人が博物館や美術館を訪れながら、企画展の展示品しか観ていないことをもったいないと思うようになりました。

博物館、美術館ごとに歴史があって、ポリシーがあって、ロジスティックスやバックヤードの工夫とその積み重ねもかなり面白い。水族館などでは、バックヤード・ツアーも流行っているようです。美術館もやってみては……？　これを知らずにいるのはいかにももったいないし、人を呼ぶことのできるリソースにもなると思うのです。現在は、キュレーターの方をはじめとするスタッフがアウトリーチの活動を頑張っていますが、まだまだリーチには伸びしろがあるかなという印象があります。

せっかくの私たちみんなの財産なので、博物館、美術館の本当の面白さを探っていきたいと思います。併《あわ》せて、新型コロナのパンデミックにより扉を閉ざさざるを得なかった博物館、美術館の想いも伺っていきたいです。

はじまりは「驚異の部屋」

熊澤　ではここからは基本的に「ミュージアム（Museum）」と呼び方を統一しましょう。「ミュージアム」の語源は「ムセイオン」と言われています。これは、古代ギリシア神話の、詩や音楽など、文芸を司る女神ムーサイ（ミューズ）に由来しています。この「ミュージアム」という言葉を日本語訳したものが、「博物館」というわけです。

古代にある「ムセイオン」でよく知られているのが、紀元前の古代エジプトのアレクサンドリアの大図書館などで、初期は必ずしも作品を保管する場所というのが第一義的に重要なわけではなく、むしろ教育や研究を行う「研究所」のような場所という意味が強かったですね。

いろいろな貴重なモノや情報が蓄えられ、陳列もされている現在のミュージアムの直接の原型は、15～17世紀、ルネサンスからバロックの文化が花開いたヨーロッパの

ウォルムの「驚異の部屋」

各都市で、王侯貴族がつくった**「ヴンダーカンマー」**（Wunderkammer）にあるでしょう。

「ヴンダーカンマー」とはドイツ語で「驚異の部屋」という意味で、「珍品陳列室」（Cabinet of Curiosities）とも呼ばれます。これは、王侯貴族が収集した様々な標本や珍品を、室内空間にところ狭しと陳列したものです。

たとえば、17世紀のデンマーク王室のコレクションのアドバイザーであった医学者オレ・ウォルムのコレクションがどのようなものであるかをうかがい知ることができます。彼の個人コレクションの概要を示す書籍『ウォルムのミュージアム』（*Museum Wormianum*, 1655）の表紙の版画を見てみると、壁から天井にいたるまで、動物の剝製、角、亀の甲羅やさまざまな標本、珍しい品々が、すき間なくびっしり陳列されています。あるものは天井から吊り下げられ、あるものは棚に収納されていたりして、古今東西の「アイテム」が収集されています。

中野　人間の「モノを集めたい」という欲望は、現代の感覚でいえば、少し前に流行った「ポケモンＧＯ」でレアポケモンを集めたりする姿を想起させます。子どもからいい大人までこぞって、レアポケモンの出るスポットに集まり、大変な混雑を生んだこともありましたね。２０２０年の今なら、鬼滅の刃ウエハースのおまけのカードをすべて集めてコンプリートしたい！　というような欲望と通じるところもあるのでしょうか。

熊澤　そうですね。しかしこの集め方は、食玩のコレクションとは性質が違う、独特の世界観を反映しています。この部屋の主が集めた古今東西の膨大な珍品・標本は、大きく分けると「自然のもの」（naturalia）と「人工のもの」（artefacta）に分けられます。

自然の産物、人間のつくったものが、すべて等価のものとして飾られています。そしてこの展示室は、自然のもの、人間のつくったものを生み出したこの地上の世界を、仮想的に「再現」したもの、と理解できるのです。

つまり、キリスト教的な価値観でイメージされる「この世界」を、この展示室で自分なりに再現して見せた、ということでもあるのです。

中野　創世記の最初の7日間を自分も再現してみたい！　という気持ちがあったのでしょうか。自分も神の真似事をしてみたいと……。

「神の視点」に挑んだ画家

熊澤　自分自身を神の姿になぞらえる表現として思い出されるのが、ルネサンス時代のドイツの画家アルブレヒト・デューラー（1471〜1528）ですね。彼は祭壇画や肖像画などの絵画作品とともに、《メランコリアI》を始めとする優れた版画制作でとても有名ですが、自画像も実に印象的です。

自画像や肖像画というと、私たちはやや斜め向きの絵画に見慣れていると思います。一方、デューラーの自画像（1500年、ミュンヘン、アルテ・ピナコテーク）は、完全に真正面を向いていて、鑑賞者である私たちのほうを見ている。ちょっとナルシスティックな印象があるように思えるかもしれません。このように真正面からバーンと見せるというのは、イコンのキリスト像を思い出しませんか？

デューラーの自画像

中野　これは面白いですね。私たちは、証明写真を見慣れているので、これがデフォルト（実在の人物の「絵姿」）だと無意識に見てしまいますが、その常識をまず取り払わねばかつての人々の視点を誤って理解してしまいますね。

熊澤　よく、私たちは自分たちの姿を、ソーシャルメディアの「アイコン」で示します。この「アイコン」とは、「イコン」のことを意味しています。

「プロフィール」という表現もよく使いますが、それは「横顔」を意味しています。実際、過去の実在の人物像を表す場合、完全な横向き、つまりプロフィールで表現するのが一般的なんですね。ローマ時代のコインに描かれる皇帝の姿も横向きでした。

それに対して、礼拝の対象となるイコンは、キリストが正面からこちらを向いた絵になっている。真正面を向く絵は、キリスト教で神様を示すというイメージが強いんです。そしてデューラーのこの自画像は、自らをキリストのイメージに似せたものとして有名です。

中野　横向きはデフォルトで、正面を向いたものはキリスト、もしくは神ということですか？

熊澤　そうですね。この描き方の伝統は長く、イタリア・ルネサンスでも横向きの肖像画が多く描かれています。その意味で、デューラーの自画像はとても面白いですね。

話をヴンダーカンマーに戻しますと、部屋の主は、当時のキリスト教の世界観——この世界は神の叡智によって創造されたもので、学問は、その神の叡智を発見すべく読み解くものである——に基づいてヴンダーカンマーを構築しています。

一見すると、「神様になったつもりで世界を構築した」ように見えるかもしれませんが、「神の叡智の成果を、自らの手で仮想的に再現して見せる」と言ったほうがいいかもしれません。これが、ヴンダーカンマーを作り出したコレクターの姿なのです。

インスタは現代版ヴンダーカンマー

中野　膨大なコレクションを集めることのできる財力と、それを他人に見せることが可能なアーカイブにしておけるだけのスペースを持っている人たちの特権が、ヴンダーカンマーという形で表れていたんですね。

展示するスペースの値段というのは特に東京はそうでしょうけれど、現代でもものすごく高額です。しかし、バーチャルの空間であれば、そこまでコストを心配することはないかもしれません。たとえば、インスタグラムに自分の好きな画像をアップしたり、ピンタレストで集めたりしている人たちがいますね。

これはさながら、現代版ヴンダーカンマーの様相を呈しているように思いますが、いかがですか。


熊澤　なるほど。インスタグラムに投稿したり、スマホの画面で見たりする際、12分割にしたり15分割にしたりすることができます。１枚の写真より、分割されて見せる、あるいはいくつも網羅的に見せる世界というのも、ヴンダーカンマーに似ていると言えるかもしれない。

ヴンダーカンマーは、神の叡智である「自然」や「人の手になるもの」を網羅しようとした世界、とご理解いただければと思います。

さて、「全能の神の叡智を理解する」という側面が「ヴンダーカンマー」の生み出された17世紀までにあったのですが、それに続く時代には、このような宗教的な価値観を超える動きが起きます。

ヴンダーカンマーが生まれる時代は、コロンブスやマゼランが活躍した大航海時代で、世界各地の様々なものがヨーロッパに集まりました。南米由来のトマトが大西洋を渡り、香辛料がアジアからヨーロッパに伝わってゆきましたが、それ以外の「未知のもの」も大量にヨーロッパに伝わりました。それらが何かを記録し、調べて分類する必要が発生しました。

この実例として相応しいのが植物学の分野です。18世紀に、スウェーデンの植物分類学者カール・フォン・リンネ（1707〜78）は、あらゆる植物のオシベとメシベに注目し、そのかたちの特徴に基づいて24区分したのです。このやり方は、天井から壁まで敷き詰められる混沌とした世界観とはずいぶん異なります。

死後の整理から始まった大英博物館

熊澤　「記録し調べて分類する」の一つの完成形とも言えるのが、18世紀フランスで刊行された『百科全書』だと思います。百科全書は"Encyclopedie"エンサイクロペディアと呼ばれます（ウィキペディアの語源になっているのはすぐお分かりになると思います）。「文化」「諸科学」などの部門に分かれて様々な項目が記されたこの事典は、当時のフランスの知識がまとめあげられた近代的知識の集大成といえます。

このような考え方は、今のミュージアムの根幹をなしています。ヴンダーカンマーからミュージアムへと、次の段階へと進む準備ができたようです。

ところで、ヴンダーカンマーをつくる動きは17世紀には、王侯貴族のみならず、経済力のある知識階級、つまり学者や医者などにも広まっていったのですが、現在、当時そのままの「驚異の部屋」は、残念ながら残っていません。

ただ、コレクターが様々なものを森羅万象的に集める、という行為がなくなったわけではありません。「記録し、調べ、分類する」近代科学が発展する流れのなかで、注目すべきコレクションが形成されました。

その一人であるイギリスの医師のハンス・スローン卿（1660～1753）は、死に際して「約8万点に及ぶコレクションを国に譲渡したい。好奇心旺盛な人々の知的欲求、すべての人々の学習、研究、情報収集に役立てばよい」という遺書を遺していました。つまり、コレクションの譲渡だけでなく公開も希望していたのです。

ただし、遺族に高額な対価を支払うことも求めていて、財政難のイギリスはそれを支払えなかった。そこで「くじ」を発売して資金を集め、スローン卿のコレクションを収蔵する博物館が設置されることになりました。

こうして誕生したのが、大英博物館です。

中野　ハンス・スローン卿についての評価はさておき、とても面白いですね（大英博物館は植民地支配の歴史を考慮し、スローン卿の像を台座からキャビネットに移設している）。

熊澤　後述しますが、世界初の美術館であるフランスのルーヴル美術館も、ブルボン王朝を始めとする王家のコレクションを核にしています。

また、オーストリア・ウィーンの美術史美術館もヨーロッパの名門ハプスブルク家のコレクション、スペインのプラド美術館もスペイン王室のコレクションが引き継がれたものなんです。

「秘宝」から「会いに行ける美術品」へ

熊澤　18世紀のヨーロッパは啓蒙主義の時代でした。音楽界ではバッハ、モーツァルト、ベートーヴェンが活躍しました。マリー・アントワネット（1755〜93）が生きた時代ですね。この時代は同時に、王侯貴族など特権的な階級だけのものだった「コレクション」が、一般の人々に開かれ始めた時代でもありました。

フランスの場合、18世紀のなかばまでは、ブルボン王朝の美術コレクションを見る機会は、一般市民にはありませんでした。しかし、バスティーユ襲撃からはじまったフランス革命勃発後、このコレクションを一般に向けて開くという気運ができたわけです。

こうしてフランス革命によってブルボン王朝が終わり、国王の財産が「公共の財産」になって、ルーヴル宮殿は美術館として一般に公開するという流れができました。王侯貴族だけが持っていたものが、一般の人々にも鑑賞可能になった。これはミュージアムの歴史上、大きな変化です。

中野　「会いに行ける美術品」になったんですね。

熊澤　そうです。その「会いに行ける」をよく表しているのが、ユベール・ロベール（1733〜1808）の《ルーヴルのグランド・ギャルリー改造計画》（1796、ルーヴル美術館）です。革命後のルーヴル宮殿が一般公開されたのを人々が観にきている様子が描かれています。

中野　絵を描いている人がいたり、模写している人がいたり、子連れで観にきている

ロベールの《ルーヴルのグランド・ギャルリー改造計画》

人もいたりして、一般の人々がこういうふうに身近に美術に触れられるようになったということがよくわかる資料です。

国家の「ブランディング戦略装置」として

熊澤　しかし、みんなが観にこられるようになって、めでたしめでたしとなるわけではありません。この大きな変化にはもう一つ、ポイントがあります。

王家のものから「公共」のものになったコレクションは、一般大衆が鑑賞可能になったのと同時に、彼らに向けて「このコレクションはこういうものだ」「これらを所有するミュージアムはこういう場所だ」、そして「このミュージアムを持つこの国家はこういうものだ」ということを、国家から一般市民に向けて示す場になりました。

たとえばルーヴル美術館では、フランスの、そしてヨーロッパの美術史を網羅するような素晴らしいコレクションがあるんですよ、という形で人々に向けて喧伝されるのです。**国民に国のビジョンを示す**、**国民国家による教育のフィールド、としてミュージアムが想定される**ようになるんです。

中野　国威発揚ということですか。

熊澤　国威発揚にもなり得ますね。それぞれのコレクションと、そのミュージアムのキャラクターが、その国のキャラクターとも関連付けられて理解されるようになります。

中野　国家のブランディング戦略ですね。

熊澤　結果的にそういうことになったと思います。大英博物館にある「ロゼッタストーン」は、古代エジプトの神殿の石柱から剝がされたもので、一時フランスが所有したものです。ベルリンのペルガモン博物館には、古代メソポタミアの門や宮殿のレリーフ、水盤などがたくさん展示されています。

このように、ほかの国にあった物品を自分たちが持っていることについて、持っていった側はさまざまな理由づけをします。つまり、現地の人に任せておくと、散逸したりしてその価値が保てなくなる、「世界的な文化遺産だから、われわれの国が世界のために保存しているのだ」という理屈を立てていて、たしかにそういう側面があることを否定はしませんが、でも、他国から奪ってきていることに変わりはありません。

奪ってきた物品を、これは重要だと保存して、私たちの国の財産ですよと堂々と見せる。ミュージアムは国の力というか、その国のキャラクターが明白に見える場所にもなっているわけなんです。それが現在でも引き継がれ、ミュージアムは国の権威、国家の力、もっといえば列強国と列強国に支配されていた国という政治的な位置関係も生々しいぐらいに見せている場所になっています。

万国博覧会の歴史

中野　とても面白いご指摘ですね。国家とミュージアムの関係で言うと、万国博覧会はいかがでしょうか?

熊澤　では、簡単に解説しましょう。

万国博覧会は、正式には「国際博覧会」と呼ばれます。1928年に「国際博覧会条約」という条約が成立し、「博覧会国際事務局」という国際機関もパリにあります。

この事務局が正式に承認し、複数の国が参加して行われるのが「国際博覧会」です。ここでは「万博」に統一しましょう。

18〜19世紀、ヨーロッパでは産業革命によって技術革新が進んだことはご存じかと思います。この時期は、欧米主要国の植民地支配が進み、植民地から宗主国にもたらされるものが大いに増え、その珍しいものに対する関心も高まりました。

珍しいものが集う「市《いち》」というのは以前からありましたが、人々への教育を目的とし、現代文明の進歩や将来像を示す催しとしてスタートしたのが「万博」です。

第1回の万博は、1851年のロンドン万博。ヴィクトリア女王の夫アルバート公が推進したこの催しでは、ハイド・パークに「クリスタルパレス」という、当時の最新技術を駆使して、鉄と30万枚ものガラスを使ってつくられた建物を会場として、イギリスの工業力、そして世界全体への覇権ぶりを示す大イベントとなりました。

このあと世界で万博ブームがおき、アメリカのニューヨーク、フランスのパリなど、世界の大都市で開催され、そのたびに各国の技術力や文化が大々的に展示されました。

ニューヨークの「自由の女神」は、1876年のフィラデルフィア、1878年のパリ万博で一部が展示されて人気を博しました（その後1886年にニューヨークで除幕式が行われます)。さらに、パリのアイコンであるエッフェル塔が建設されたのは、1889年のパリ万博です。

日本に万博の存在が伝わったのは幕末・明治維新の時です。1862年、欧米使節団の一員として参加していた福澤諭吉がロンドン万博を見学したことが知られています。1867年に日本は初参加していますが、この時には江戸幕府と、佐賀・薩摩両藩が別々に出品しています。

1873(明治6)年に明治政府としてウィーン万博に正式参加したときは、日本にとって「新しい日本」をアピールする絶好の機会となりました。それは欧米各国の来場者にインパクトを与え、のちの「ジャポニスム」のブームのきっかけとなりました。

万博の歴史を辿ってゆくと、主催する国、参加する国がそれぞれ「国」のイメージを作り上げ、それを他国にアピールするためにエネルギーを注いだことがわかります。

中野　万国博覧会における各国の出展スペースの位置、広さなどによって国の地位がわかってしまうところもあって、その辺りも外交史的には興味深いところでしょう。万博の歴史を辿っていくと、ヨーロッパ人の脳内地図の中で日本の占めていた位置というのがうっすらわかるような感じがしますね。

熊澤　だから日本としても万博には国の威信をかけて参加したんです。

今、日本では大阪府・大阪市が２０２５年の開催に向けて準備を進めています。大阪万博の「開催目的」を見ると、経済波及効果が高らかに謳われています。そのような経済的な成功を得られうるのも知られているとはいえ、万博の本来の意味を考えると、世界の叡智が集結し、新しい技術が集まり、新たな未来像が映し出されることがより重要ですね。

そして万博は、今でも国の、地域の威信をかける場となっている、という点に変わりはありません。

中野　経済効果を謳うのは、国内向けのエクスキューズといった面が強いのかなとも思います。どちらかといえば、威信をかけるということは、国・地域のプレゼンスを文化的な側面から全世界に向けてアピールするという意義が大きいものなんですね。

展示品には「集める側の論理」が働く

熊澤　ミュージアムは国の力や、支配していた国と支配されていた国という政治的な位置関係も生々しいぐらいに見せている場所だという話をしましたが、そこには集める側と集められる側、見る側と見られる側という非対称な関係性がある、ということは忘れてはならないと思います。

中野　どういうことでしょうか？

熊澤　歴史のある大規模なミュージアムを見ると、そのコレクションはまるで、地上のあらゆる文化・歴史を包括しているような錯覚を感じることもあります。たとえば、ニューヨークのメトロポリタン美術館などは、世界の文化を、百科事典のごとくに幅広く見せることを目指しています。

ただ、そこでいう「百科事典的なミュージアム」といっても、文化の現象の全てが記録されているわけではなく、諸々の項目、そしてコレクションも、編集者によって、あるいは収集者によって「選ばれている」わけです。

中野　歴史書を編纂するのはその時代における権力者の特権、というのは歴史を研究する多くの学者たちのコンセンサスが得られると思いますが、それがミュージアムではテキストでなく３Ｄで表されたものなんですね。

熊澤　そういう視点で理解するというのも面白いですね。

「なぜギリシア・ローマの、なぜルネサンスの、なぜ近代フランスの絵画だけが、特権的に語られてきたのか。これまで『傑作』だと呼ばれてきたものは、誰が、いつ、何のために、『傑作』と決めたのか」という、日本美術史家の千野香織先生（1952〜2001）による指摘は、その本質を鋭く示していますね。これらはやはり、「選ばれている」わけです。

そこには、見る／選ぶ／調べる側である私たち、という意識と、見られている／選ばれている／調べる対象となっているあなたたち、という意識は潜在的にあるのではないかと思います。

中野　なんて言うんでしょうね、日本語には相当する概念がないかもしれませんね。「階層」の意識が近いでしょうか。

熊澤　「階層」の意識もあり、同時に「主・従」関係も思わせます。アメリカの文学研究者エドワード・サイード（1935〜2003）が、その主著『オリエンタリズム』の中で、東洋主義《オリエンタリズム》について考察を重ねた結果示したことは、持っている人が持っていない側、つまり持っている西洋の側が、持っていない東洋の側に対して向けた差別的な視線が存在することでした。

意識して差別しよう、というつもりはなく、潜在的に持っている主体・客体の意識なんですね。このような視点がミュージアムにもあります。

中野　「世界音楽」という用語を不用意に使ってしまう、というような現象と似ていますね。いわゆる西洋音楽からみた「マイナー」な音楽は全部「世界音楽」にカテゴライズされてしまう。

熊澤　そう、「ワールド・ミュージック」といっても、もともとは全てが「ワールド」のはずなのに、勝手にワールドって決めるんじゃないよ、それを言っているのは誰なんだという話なんです。人間の文化の、そのようなえげつないまでの「意識」の集合体として、ミュージアムは**「過去」という名のコレクションを溜めこんでいる**、と言ったら、イメージしやすいでしょうか。

中野　何だか生々しいですね。それが整理されないまま残っているということですよね。

熊澤　整理の果てがない、というか。新たに整理した部分から何かが判明すると、「発見された」と言われる。

中野　「発見された」という表現も面白いですね。

熊澤　もともとそこにあるのに。

記憶の三段階

中野　ミュージアムの資料は全て整理されており、それらの資料が図書館のようにきちんと揃っているものと一般的には思われがちかもしれませんが、それは幻想なのだ、ということを先生の講義ではじめて知りました。そこには発見されるべきものがまだたくさん残されている。それがまず新しい驚きです。

熊澤　私たちは今、本やモノを買うときにAmazonなどで検索して購入ボタンを押すことにあまりにも慣れ過ぎていますよね。そのバックグラウンドでは、巨大な倉庫があって、商品が整理されていて、そこから取り出しやすいようになっている。

それだけ世界は整理され、検索をかければあらゆるものに出会えるように思いがちですが、ミュージアムに関しては、そういう理解としてはちょっと違うんではないかな……と思います。

ミュージアムの展示室から見えない収蔵庫・ライブラリーには、原初の人々からの過去の有象無象のものが、文字通り山ほど蓄積されている。そこにはいろいろなものがあり、それが何かは記録されている、はずなのですが、あまりに膨大で、全体像としてみるとよくわからない、不気味な存在かもしれません。

中野　それは極めて魔術的な感じもするし、私たちの記憶の構造に近いと見立てることができるかもしれません。

熊澤　なるほど、記憶の底に沈んでいるということですか。

中野　そういうイメージです。記憶の過程には「記銘」「保持」「想起」という三段階があるんです。

「記銘」は未知のことをインプットする段階です。「保持」はなるべく劣化しないよう保存しておく。記銘するときに整理して保存するのではないので、よく呼び出されるものだけが上澄みに来ていて、あまり思い出されないものは沈んでしまう。そしてうまく思い出せず、知っているはずなのにわからない、ということがあるわけです。ド忘れするとか、記憶のフラグメントについたタグが見分けにくくなっちゃったとかいうことが起こる。間違った記憶に間違ったタグがつくこともあります。

「想起」というのは、取り出して持ってくることです。想起するときに、よく呼び出されるものだけは整理されているけれども、あまり呼び出されないものは、もうあるんだかないんだか、わからなくて、人から言われて、「ああ、あったっけ」と思い出してくる。

その無意識的なところに保持されている記憶のデータベースは、その人の無意識的な行動のベースになったりして、不意に現れることもあります。しかし、普段は意識には上らなくて、ただそこに発掘されるものとしてあるのです。

ミュージアムは記憶を司る脳である

熊澤　確かに、ミュージアムの大量のコレクションで有名なものは適切に整理され、保存状態もよく、想起もたやすいのですぐに出てきます。ただ、それ以外のほとんどのものは、ときどき思い出され、検索で引っかかってようやく思い出される……うーん、似ているかもしれない。

中野　先ほど話題に出てきました、水没してしまった川崎市市民ミュージアムや、焼失した歴史的な文化財のことを考えると、いわば記憶のデータベースに近い血管が破れてしまい、そのデータベースが組織ごと損傷してしまった……というたとえ方ができるかもしれませんね。

熊澤　まさしく痛恨のことですが、ごっそり失われてしまいました。被災した川崎のコレクションは現在、少しでもダメージから回復させるため、外科手術のようなことをしています。絵画作品や写真、書籍など、紙を素材とした資料は、水を吸ってパンパンにふやけてページが開かなくなり、カビが発生・増殖してしまいます。その進行を止めるため、まず冷凍するんです。そうやってカビの進行を止めながら、修復の措置を少しずつ行います。

しかし、ここは書籍だけでなく漫画、木村伊兵衛写真賞の受賞作品なども大量に所蔵していて、倉庫がまるごと水没しましたので、それらすべてに手術が必要ですから、大変厳しい状態です。

展覧会で展示されて見ることができるコレクションは、たとえは奇妙かもしれませんが、頭の髪の毛の部分にすぎません。その髪の毛が剃られても、時間がたてば髪は生えますよね。展示室でコレクションが展示できなくなる事態が発生したとしても――もちろんとてもショックですが――また展示はできる。

ところが、表面ではなく中身の脳――コレクション、というか、博物館のシステムそのもの――がダメージを負ってしまうと、立ち直るのはとても困難になります。

中野　川崎市市民ミュージアムは書籍も漫画も写真もあって、社会におけるそれこそ記憶装置のような役割も果たしていた。美術館・博物館、図書館や文書館は、私たちの社会の記憶を司る脳のようなものであることをあらためて思い知らされました。

日本のミュージアムの起源

中野　日本の場合は、永青文庫とか金沢文庫とか、古くから「文庫」というものがあります。

熊澤　「文庫」は、これまで辿ってきたヨーロッパのミュージアムの歴史とは別の文脈から登場します。

文庫とは文字どおり文《ふみ》の庫《くら》、そもそもは図書館・図書室を意味します。東アジアの中国、韓国、日本にあった書籍、文書、図書を保管する部屋のことで、中国や韓国時代劇ドラマにもときどき登場します。当時の図書には、冊子とともに巻物もありました。

現在の日本では美術品として展示する掛け軸、それから冊子もくるくると巻いて保管していました。かつて足利学校にあった足利文庫、金沢北条氏がつくった金沢文庫などが有名です。

文庫には、文書以外のものも保管されます。紀州徳川家の蔵書・コレクションを保管した南葵《なんき》文庫、ここの収蔵品は関東大震災のあと東京大学（当時は東京帝国大学）に移り、現在は東京大学総合図書館が引き継いでいます。それとは別に、この蔵書のうち音楽関連のものは「南葵音楽文庫」と呼ばれ、その貴重な資料は読売日本交響楽団所蔵となっています（和歌山県立図書館に寄託）。

細川家のコレクションを収蔵した永青文庫、これは文京区に現存し、理事長は細川護熙《もりひろ》・元首相です。三菱財閥がつくったのは静嘉堂《せいかどう》文庫、東洋文庫。静嘉堂文庫は世田谷区に、東洋文庫は文京区に現存し、古地図、古書、日本画、洋画などの美術品が収蔵されています。

中野　現在、永青文庫や静嘉堂文庫のように展示施設を併設しているところもあります。訪れてみるとおわかりいただけると思いますが、そこは本当に静謐な歴史の空気が漂っていることを体感できる空間になっています。

「薬品会《やくひんえ》」と「物産会《ぶっさんえ》」

熊澤　一方、古今東西の変わり種のものが一堂に会している場所は日本にもありました。１７５７（宝暦７）年、平賀源内（１７２８～８０）の発案により、江戸で「薬品会」が開かれます。クスリの学者たちの情報交換会であり、以後幕末にかけて毎年開かれ、地方でも開かれるようになります。

熊の胆嚢《たんのう》や虎皮のような珍品が展示されて、これは一般の人々にも公開されたんです。特に第5回の薬品会は規模が大きく、平賀源内による解説本も刊行されています。「物産会」という日本各地のさまざまな産物を一堂に集めるというイベントもありました。「物産」という音の響きから、今でもよくデパートの催事場で開催される北海道物産市、みたいなものを思い起こされるかもしれません。あるいは千葉の幕張メッセで展開する「展示会」にも通じると思います。

中野　現代の人々にとっても、物産展は見ているだけでも楽しいものですね。

熊澤　この「物産会」は、日本の博物館の「前身」のような位置づけにあります。西洋式の博物館・ミュージアムが登場する前からこのような「場」は存在していました。

先ほど万博のところでご紹介しましたが、日本にとって万国博覧会参加は、「博物館」システムを作り上げる重要な機会となりました。江戸幕府の時代にも、1867年のパリ万国博覧会に、徳川幕府と薩摩・佐賀両藩が別々に出品していて、ともに日本の伝統的な工芸品や浮世絵などがヨーロッパにお披露目されました。これらは現地の人々にとって異国趣味に満ちたもので、このときから日本風のものにたいする関心は高まっていました。

そして時代が明治に変わったあと、日本は国として万国博覧会に積極的に参加するようになりました。１８７３年のウィーン万国博覧会には、日本政府は明確な目的を持って参加しました。一つは、西洋諸国の文化・技術を学ぶこと、もう一つは、日本の文化や産業を西洋に紹介することでした。

ただ、これ以上に重要なのは、先ほどご紹介した、薬品会や物産会などにも登場する、日本各地にある面白いもの、変わったものに対する関心が、日本でも高まった、ということです。日本にある様々な技術、物産、そして工芸品や美術品を、ヨーロッパに紹介する機会に、万国博覧会はなったのです。

実際、日本の工芸品・美術品に対する欧米の関心は極めて高くなりました。その結果日本政府は、この種の品々を欧米に輸出するための会社「起立工商会社《きりうこうしょうかいしゃ》」を設立し、一世を風靡したほどで、日本の工芸品輸出は、外貨獲得にもつながるビジネスとなっていたのです。

ちなみに、ウィーン万国博覧会事務局から参加要請があったあと、日本は「博覧会事務局」という組織をつくりました。この事務局が出品する資料を日本全国から集めたのですが、各府県にどのような文物があるかをまとめた「物産調書」を作成し、その特産物を2つ準備させました。そのうちの一つが、ウィーン万国博覧会へと旅立ち、もう一つが博物館の陳列品としてまとめられています。この「博物館」というのが、現在の東京国立博物館の最初期のものです。

日本各地になにがあるかを調べる、それを体系化する活動はとても重要なものです。ウィーン万博の準備の過程で行われた日本各地の文化財の調査を「壬申検査《じんしんけんさ》」というのですが、これは、各地にある古器旧物、つまり古くからある重要な文化財を保存し、それを海外に流出させないようにする目的もありました。この実地調査によって、日本の文化財とはなにか、が体系化されたと言えるわけです。

中野　体系立てて整理できたということは、つまり、モノだけでなく、モノの背後にある情報を収集、整理できたということですね。

熊澤　それこそが、実は現代のミュージアムの役割であったわけです。モノを集めて見せるだけではなく、**モノとともに情報を収集し、研究し、提供する。**ミュージアムとはそういう機関であり、ここに見えない苦労もあり、なかなか知られることのない魔力のような魅力もあるのです。

コレクターと「絶対美感」

中野　ここまでミュージアムの誕生と変遷の歴史を伺ってきましたが、ヨーロッパで誕生したミュージアムの原点にも、日本の文庫の原点にも、コレクターの存在がありました。

コレクターはいつの時代にも存在して、現在のファインアートにもコレクターたちがたくさんいます。２０１８年にスパイラルガーデンで、有名なアートコレクターの人たちが自分のコレクションをちょっとお見せしますといったような試みがあったんです（「Selected Art Fair 2018「蒐集衆商」」２０１８年10月）。

皆さん、かなり直感的にモノを選んで買っているようなのに、その人らしさがそのコレクションに出ているのが面白いと思いました。

たとえば色に興味を持つのか、だとしたらどんな色に選好があるのか、あるいは形や動きに興味を持つのかの違いだけでも、その人の性格について多くのことがわかります。大きさ、テーマ性、作家に興味を持っているのかどうか、そもそもアートをただ好きで買うのか、アートがわかる人間であることを周囲の人にアピールしたくて買うのか、投資対象として運用益を狙って買うのか……。

熊澤　そんなコレクターが何を見せたがっているのか。

16世紀のイタリアの画家ロレンツォ・ロット（1480頃～1556／57）は宗教画や肖像画で有名ですが、《アンドレア・オドーニの肖像》という絵は、ひげをたくわえた男が、右手に由緒ありそうな香油入れのようなものを持ち、男の前にも後ろにも明らかに古代ローマに由来する彫像がいくつも並んでいて、コレクターはこの古典的なコレクションを誇らしげに示しています。

ロレンツォ・ロット《アンドレア・オドーニの肖像》（1527年、英国王立コレクション）

この彫像のなかには、ローマ皇帝のハドリアヌス像が含まれていますが、彼は、芸術のパトロンとして有名でした。この画家は、ハドリアヌスとこのモデルとなったコレクターを「芸術の庇護者」というつながりで見せようとした、とも考えられます。

中野　インスタグラムで、さりげなく高級ブランド名が写り込むようにバッグを置いて撮影するみたいな感じですね（笑）。自分はこういうものを好きで集めている人間ですとアピールする、承認欲求的なところもあるのでしょうか。

熊澤　それと似たような共通性はありそうですね。コレクターは自分の好きなもの、自分の存在を示すものを集めるわけで、自分の好きなものに囲まれたいということがまず、原点だと思います。一個一個はばらつきもあるけれど、トータルでどこか似たものになるというのはわかります。

自らの存在と、コレクションの存在をリンクさせている。これが、コレクターのやりたいことであり、画家もそのことを丁寧に描き出している点が、この作品の面白いところではないでしょうか。

中野　モノに対する愛着というのは、人や場所に対する愛着と類似の現象として分析できそうですね。人や場所への愛着は、長くその人と、あるいはそこにいればいるほど、生きのびられた、ということで、共にあったことが生存を有利にしたという実績として、ある種の分子機構という形で、脳に刻まれるのです。それが愛着の機序と考えられます。モノに対しても、そのモノと共にあった時間が長くなればなるほど、生存を有利にしたという点での実績となると考えると、長く使うほどに愛着がわくこと

ペギー・グッゲンハイム・コレクションの外観

の説明ができる。好きなものというのも同じで、生きのびやすくなる感じのするものを無意識に集めようとするのでは……。

ギャラリストさんとお話をすると、何でもかんでも気に入ったものを買って、コレクションがグチャグチャになってしまうタイプの人と、好みがはっきりしていて、「この人はいいテイストを持っている人だな」とわかる人に分かれるとおっしゃるんです。

「絶対美感」とでも言うのでしょうか、いいものとそうでもないものを見分ける目というのが確かな人とそうでもない人がいるというんですね。

その点では、ペギー・グッゲンハイム（1898〜1979）はやはりすごいですね。ニユーヨークの大富豪の娘ですが、最初のコレクションの作品を4万ドルぐらいで集めたのです。ピカソ、エルンスト、ミロ、マグリット、ダリ、クレー、マン・レイ、パレーンといった錚々たるラインナップです。これらは後に一枚何億円になるわけで、すごい目利きであり、プロデュース力です。それはミュージアムのコレクションをつくる人にも一定以上の水準で求められるものなのでしょう。

熊澤　個人が自分の趣味に合わせて、所有している美術作品を、入れ替えたり、交換したりしながら、自分のコレクションの全体的な質を高めていく。そうしていく過程で、その人なりの審美眼というか、共通性が出てくることはありますね。

絵画に限らず、お茶碗、あるいは鉱物を集める人もそうですね。個人の範囲でやっている限りでは、そういう傾向で集まっていくということがあります。

美術品は誰のものか

熊澤　過去・現在にわたり、日本にも多くの「コレクター」がいますが、西洋美術のコレクションで有名になった人といえば、大原孫三郎（1880～1943）がよく知られています。

中野　岡山県倉敷市の大原美術館を創設した人ですね。大原美術館は1930（昭和5）年に日本初の西洋を中心とする私立美術館として誕生し、今でも大変人気があります。直島《なおしま》のアートサイトで有名な、ベネッセの福武總一郎さんにも影響を与えたようです。

熊澤　倉敷の実業家である大原孫三郎は、事業の成功とともに、地域の病院・学校建設など、社会貢献でも重要な役目を果たした人です。

大原孫三郎は、同郷の洋画家で友人の児島虎次郎（1881〜1929）の留学支援もしました。そして虎次郎が現地で選んだヨーロッパ美術の名品が、日本にもたらされたのです。クロード・モネの《睡蓮》（1906年頃）は、虎次郎がジヴェルニーのモネ邸を訪問して獲得したものですし、エル・グレコの《受胎告知》は、なぜ日本にこのレベルの作品があるのか、というほどの名作で、驚かされます。

ブリヂストン創業者の石橋正二郎（1889〜1976）も絵画を収集し、1952（昭和27）年にブリヂストン美術館（現アーティゾン美術館）を創設しました。そのコレクションの核となっているのは、第2次大戦のあとの社会の変革期に、日本国内にすでに多く存在した西洋美術です。セザンヌ《サント＝ヴィクトワール山とシャトー・ノワール》をはじめとする名品揃いであることはいうまでもありません。

これらと美術館になる経緯は違いますが、神戸の実業家・政治家である松方幸次郎（1866〜1950）がつくりあげた「松方コレクション」も有名ですね。第1次世界大戦の頃から西洋美術の大規模かつ体系的な収集がはじまりました。児島虎次郎と同様、モネと交流があり、この巨匠から直接作品を手に入れています。

松方幸次郎のコレクションは、関東大震災や昭和金融恐慌のために散逸してしまいました。売却されたり、敵国財産として差し押さえられたりする憂き目に遭っています。第2次大戦後に、差し押さえていたフランス政府との外交交渉により、ようやく日本に戻りました。1959年に開館した国立西洋美術館は、松方コレクションを受け入れる場として誕生しました。

これらのコレクションはいずれも「個人」のコレクションです。現在では、大原と石橋は公益財団法人の美術館、松方は国立西洋美術館という具合に、「公共」のコレクションとなっていますが、いずれも、もともとはプライベートコレクション、すなわち個人のものです。

そこでコレクションされているモノ／資料には長い歴史があります。持ち主が入れかわったり、様々な人がそのモノに触れたり、語ったりした、長い歴史の蓄積が、そのモノにはあるわけです。

そのようなものを所有する、ということは、法的には個人資産であったとしても、長い歴史から見れば「一時的にあずかっているだけ」とすら言えますね。一人のもの、とはならないのではないかな。

中野 当然、公共性がありますよね。

熊澤 そのはずなんです。ところが、所有している人からすると、自分だけのお宝、と思いたくなるのかもしれない。バブル景気の頃、ゴッホとルノワールを記録的な高値で落札したコレクターが、「死んだら絵を棺桶に入れてくれ」と言った、と伝えられています。自分の金で買ったものだから、私が燃やしていいんだ、ということでしょうか。この発言は日本のみならず世界から非難されました。冗談にしか聞こえないこの話って、案外どこでも起きかねないことなのです。

文化的な遺産は、たとえ個人的な所有物であったとしても「ひとりのものではない」というつもりで預からなければならない。それは、名作と呼ばれる絵画でも、自分が住んでいる歴史的な邸宅でも、あるいは手紙でも同じ、というのが基本原則です。

……と、口で言うのはとても簡単なことですが、物事はそう簡単にいかない。これを実行するためには、専門家による調査や修復、これを実行するための経済的な支援、などが必要になります。それが出来なくて「消えた」文化的遺産はとても多いです。だから、残すためには努力が必要だし、残っているものはとても大事なのです。そして、そういうものを残しておく場が「ミュージアム」なのです。

蔵が深い

熊澤　コレクションというものは、大量に蓄積されると、新たな意味を持つようになります。

日本のミュージアムのコレクションは、法的な用語をつかうと「博物館資料」と呼ばれます。ミュージアムに所蔵品登録されているものであれば、印象派の絵画も、恐竜の化石も、手紙も、日本から遠く離れた国の民族衣装もみな「博物館資料」になるわけです。

博物館資料には「一次資料」と「二次資料」があって、ざっくりいえば、一次資料は「実物」、二次資料は「その添え物」です。たとえば、お茶碗であればお茶碗が一次資料、その箱やお茶碗に付いている札が二次資料、絵画作品であれば、カンヴァスに描かれた平面の絵画を一次資料とするなら、裏面の木枠、周りを覆う額、額に貼られた番号のシール、さらにはその絵画についての過去のメモ書きのような記録や、この作品を調査して執筆された調査論文までもが、二次資料と言えます。

こう言うとご理解いただけると思いますが、一次資料は、それ自体でも価値があるのですが、ただ二次資料があってこそ「博物館資料」の価値はできあがってゆきます。ということは、コレクションの価値、定義は、持ち主、調査者、時間が経過すると変化するわけです。

さらに、コレクションの規模は普通、否応なく大きくなります。数が増えてゆけば、コレクション全体のイメージが、当初意図されていたものから変容してゆきます。「あれ? こんなものあったっけ?」ということもあれば、「これは○○作として入手したが、よく調べたら違った」とか、さらには「あれ? これ、ずいぶん昔に購入していたけど、40年後に購入したこれと組み合わせると面白い」といったことも起きます。

コレクションのひとつひとつが素晴らしい、という話を超えた、所有者の当初の思惑を超えた豊かなものに、コレクションができあがってゆくわけです。

中野　素朴な質問ですが、ミュージアムのコレクションをつくる人はやはり目利きであることを求められる?

熊澤　目利きであることは必要だと思います。ひとつひとつのものが何か、そのコレクションの一群がどんな意義を持っているのか、それをどう展示するのか、どういう形で記録しておくのか……まさしく専門家の仕事ですね。

何があるかわからないというと、いかにもいい加減な感じがするでしょうが、それは悪いこととも言えない。これだけ予想以上に豊かなつながりが、当初の意図を超えてできあがっているわけですから。

われわれの業界では、個人コレクターのすごく豊かなコレクションに対して、**「蔵が深い」**という言い方をします。体系的に1から100まで全部把握できていることもすばらしいのですが、予想を超えたよいものがある、よい世界があるというのもミュージアムの魅力です。50年ぐらい経つと、豊かなミュージアムになってきます。

収集基準でその時代の空気がわかる

中野　個人のコレクションからミュージアムのコレクションに変わり、公共性が確保されても、そのミュージアムが存在する国の統治者や国家のシステムそのものの変更により、公共性のあり方が根底から変わってしまう場合がありますね。

終戦の際、藝大コレクションにある神武天皇の彫像について、GHQにどう説明するかが大変難しかったと聞きました。その像は明治天皇のお顔に酷似していて、像が立っているその土台は日本の本州の形をしている。そしてお顔の向きは土台の形からすると、朝鮮半島の方角を向いていることになる。東征、というにはつじつまのあわない方向を向いていらっしゃる、きわどい彫刻ということになってしまった。

熊澤　明治時代が始まるときに天皇のイメージを神武以来のイメージとつなぎ合わせた表現だったわけですね。終戦後で、天皇家の存続について議論がなされていた時期の話なので、天皇家のよいイメージを表現する必要があった。要するに天皇を褒め称えられるはずのコレクションだったものが、終戦は急に政治的に危険な、きわどいものに変わった瞬間だったでしょう。

ミュージアムの中にあるモノや文化遺産というものは、重要だから保存しているわけですが、ではそれが重要だと「言っている」のは誰か。

これは、ミュージアムが誰のものか、ということとつながります。「重要」だと言うのは、ミュージアムにかかわる人みんなである、と言えますが、それとともに「これは我々にとって重要だ」とプレゼンテーションする場、と考えると、そのように設計した人、つまりミュージアムを設置した人が「重要だ」、と言うと「そうか、重要なのだな」と鑑賞者に理解されるようになる、とも言えます。そして、これができるのは、そこを統治している人々、ということになります。

文化遺産やミュージアムのコレクションは、所有者・管理者の主体がうつりかわるときがあるんです。そうすると、そのモノのキャラクターが変わる、ということも起きます。重要だと思って保存していたものが、別の為政者にとっては好ましからざるものだったりするわけです。全人類にとって重要な歴史的な文化遺産だ、と思っていたとしても、別の価値観の人には、「我々にとっては恥辱」と思えるものもあるでしょう。

文化遺産を破壊する、という過去の悲しき事例といえば、アルカイダによって、バーミヤンの石仏が破壊された事件が思い出されます。このような「価値観の対立による文化・歴史の凌辱」というのは、歴史的に多いですね。

中国では王朝が入れ替わるときに、過去のものはどんどん燃やして、あらかたなくなっています。歴史の記述で過去の政権を悪く言って、現政権を褒め称えたものだけが残るということに近いと思います。

ミュージアムにはコレクターの文脈を超えたものがたくさんあるわけですが、所有者の理念が変わると、もともとの文脈も変わってしまいます。

中野　時代によって収集基準が変わるというのは、実に興味深いですね。その収集基準を見るとその時代の空気がわかるのが面白いと思うんです。まさにその空気が一変したという事件が、日本では１９４５年にあった。この年は「近代の終わり」とされることもありますね。われわれは終戦でそれを経験しているわけです。何かそういう大きなエポックの変わり目がないと、基準はなかなかがらりと変わることはない。

もしかしたら、今回の新型コロナのパンデミックはミュージアムやアート業界にとっては、終戦に相当するエポックメイキングなものになる可能性があるかもしれませんね。展示会のやり方が変わったり、コレクションの管理の仕方も変わったりするでしょう。

熊澤　新型コロナのパンデミックによって、人が集まることが難しいとか、人と一対一で接することが難しいとか、まったく予期しなかった事態がやってきてしまいました。ミュージアムの現場では現在、来館者の安全を守る、ミュージアムで働いている人の安全を守る、そして、展示するモノ自体も「汚染」されないようにするにはどうすればよいか、試行錯誤の真っ最中です。

ミュージアムのコレクション自体を「脳」として静かに機能させてゆきたいのですが、社会的にそれを許していただけるのかというのが心配です。

ミュージアムには経済的価値を超えた価値がある

中野 コロナ禍にあって、一種のミュージアムの「閉じ込め症候群」みたいなことが起きているように思います。

閉じ込め症候群というのは、意識が保たれ、開眼して外界を認識できるが、でも何もしゃべれないし、身振り手振りもできないし、何かを発信することがほとんどできない。何ができるかというと、まばたきができるうちはそれで意思疎通するんです。

インターネットを使ってアーカイブを楽しんでくださいと頑張っているミュージアムがありますが、まるでこのまばたきでやりとりしているかのように見えてきます。皆さんはどんなに切ない思いで発信されているのだろうと、悲しくもなってきます。

熊澤 ミュージアムにいる側である私たちからすると、実物を見てもらいたい、体験してもらいたいんです。同時に、実物に触れることはできなくとも、オンラインで、あるいは書籍を通じて、コレクションについて、知っていただきたい。社会にむけて開かれる機能が弱まると、それができなくなるわけです。

「見てもらいたい」という点で一つ申し上げると、コレクションを「見せる対象」は時代を経て変化しています。かつてルネサンス、バロックの時代までは王侯貴族個人のコレクションでした。古今東西の品々が網羅するように展示された「ヴンダーカンマー」も、見せるとしたら所有者の知り合いくらいでした。

なぜなら、この「驚異の部屋」は、所有者の世界観を再現するものであり、そこに一般の人々を集めるための場ではない。そこでお金を得るための空間ではなかったんですね。このようなコレクションは、今の考え方で言えば「秘蔵の」と呼べるものだったかもしれません。

啓蒙主義の時代に、これらのコレクションが人々に向けて公開されます。そして、万国博覧会が開かれる時代になると、一般の人々の好奇心が刺激される場として、ミュージアムに、そしてとりわけ博覧会に人々が集まるようになります。人が集まる場であれば、それは当然ビジネスになったわけです。人々の好奇心を刺激して、また人が集まるということで、人々のいろいろなものを刺激する場所として、場のキャラクターが変わってゆきます。

現在では「人々が集まるミュージアム」という基本設定に基づいて制度設計されています。常に大混雑する場として出来ているわけではないにしても、人がまったく集まらないとそれはそれで困ったことになるんです。

人々が集まる場所や機会、というのは私たちの日常には多いですね。季節のお祭りであったり、様々な種類のイベントであったりします。それらは多くのお金が動くので、経済を刺激することがまず重要、と考えられるかもしれません。

ただ、ミュージアムは「人々が集まる場」であることが最初に設定される施設ではないのです。そこには確かに、公共のものとして美術品がある。公共のものとして恐竜の骨がある。公共のものとして鉱物がある。公共のものとして魚が泳いでいる。こういう場所は見ていて楽しい刺激に満ちています。

ただし、見えているのはほんのわずかの場所だけです。見えていない場所こそ重要なのです。コレクション・文化遺産を保存しておくこと、調べること、それを人々に向けて伝えることこそが使命です。

その意味でこの場所は「公的」な場所であり、市民に向けての公共サービスです。

だからこそ税金を財源として運営されているわけです。

「見て楽しむ」だけを重要と考えると、目に見えないものは大事ではないと扱われてしまう。人々の目に見えない倉庫は人々のためになっているのかと言われてしまう。存続のためには、自ら儲けなければならない、ということが当たり前に言われてしまいます。

しかし、保存しておくこと自体が人々のためになることを、私たちは忘れないようにしないといけませんね。お金をもらえるから、儲かるからではなく、人々の記憶を残しておくために保存しなければならないんです。

忘れないための場所

中野 われわれ人類は、直ちに「役に立つ記憶」だけでできているわけではないですからね。

熊澤 現に、日本では過去の遺産を守り切らずに何が起こったか。ボストン美術館やパリのギメ東洋美術館では日本美術の品々が人気の展示物となっていますが、それらは開国、明治維新後に外国人が大勢来日して入手したものです。

幕末から明治にかけての社会変動の時代、日本では神社仏閣から、名家から、様々なものが出回りました。その、二束三文で市場に出回ったものを、外国人たちが大量に買っていったのです。お城も今は大変なブームになっていますけれど、明治の頃はどんどん壊しています。守らずに手放してしまったもの、放置して壊れたものがいかに価値あるものだったか。このような失敗をもう忘れてしまっているのではないでしょうか。

忘れっぽいということでいえば、一時期、「人が集まる場所で、中国人観光客がうるさい！」という議論がありましたが、1970年代、80年代にヨーロッパに旅行した日本人たちはどうだったか。私たちはそんなことは忘れていて、自分に都合よく記憶を変えているんです。ミュージアムは、それを忘れないようにするための場所でもあるわけです。

中野　人間は、ある出来事をなかったことにしてしまうこともできます。しかし、記録、記憶が残っていれば、それに照らし合わせて、大切なことを知ることができるわけですね。

熊澤　なかったことにできるのは、もしかしたら日本人が得意な分野かもしれないですが、それを忘れないという国もある。ミュージアムは、過去にひどいことをしてしまったということを忘れないための場所でもあります。

中野　記憶を未来に活かすのは人間にしかできないことですから。

熊澤　ミュージアムには過去のもの、あらゆる歴史が蓄積しています。先ほど中野さんに解説いただいた記憶の三段階とは、「『記銘』し、『保持』し、『想起』する」でしたね。ミュージアムを訪れて起こることは、それに似ていると思います。

MUSEUM COLUMN

日本に「博物館」が登場するのはいつ？

本書では、博物館・美術館のことを「ミュージアム」と呼んでいますが、日本に「ミュージアム」が登場するのはいつでしょうか。

貴重な宝物や資料を収集・保管する場所といえば、聖武天皇・光明皇后の愛した品々が保管されている正倉院が思い出されます。貴重で珍奇な資料——文字通りの「お宝」——は、洋の東西を問わず、時の権力者によって収集されるものですが、このほかにも、出雲大社や厳島神社、金毘羅神社などの神社にも、歴史的に重要な資料が集められ、現在に伝えられています。

このような場所はみな、展示を前提としていない「収集・保管」のための博物館的な施設、と考えることができます。これらの施設のおかげで、貴重な文化財が現在まで継承されているのです。ただ、これらは、近代ヨーロッパで始まった、市民に向けての開かれた場所としての「ミュージアム」――コレクションを収集・保管・調査研究し、展示公開に供する施設――とは異なります。

実際のところ、私たちの周りにある博物館・美術館は、制度的にはヨーロッパから輸入された外来的なシステムと言えます。その原点は、幕末・明治初期にヨーロッパの様々な文化制度が日本にもたらされたことにあります。

開国した日本は、西洋事情を知るため欧米に使節団を派遣しました。彼らはそこで、欧米の政治・経済・軍事体制を確認するとともに、教育・文化の状況にも目を向けました。そのなかで、福澤諭吉（１８３４〜１９０１）は１８６０年から欧米への使節団にたびたび随行しました。その海外歴訪の様子がまとめられたのが、福澤の有名な著書『西洋事情』です。西洋諸国の政治・経済・教育・文化等、あらゆる分野を紹介するこの書籍には、「博物館」という項目がもうけられました。

博物館ハ世界中ノ物産、古物、珍物ヲ集メテ人ニ示シ、見聞ヲ博クスル為ニ設ルモノナリ

ここでわかるように、「博物館」ということばは「Museum」という用語を訳した表現であり、西洋文化の移入の一例でもあるのです。福澤がこのように「Museum＝博物館」を紹介してから、日本人に博物館の存在が認知されました。そしてその後、万博への参加などを経て、本格的な博物館行政が始まるのです。

（熊澤　弘）

第2章　ミュージアム、その陰の部分

——論争・ワケあり・ヤバいもの

ナチスに翻弄されたコレクション

中野　ミュージアムが蓄積している情報に、作品の来歴というものがありますね。

２０１９年、国立西洋美術館がエドゥアール・マネ（１８３２〜８３）の《嵐の海》をスイスのベルン美術館から購入したことを発表しました。購入金額は４００万ドル（約4億４０００万円）とされ、その金額もなかなかのものですが、それよりもグルリット・コレクションだったということが注目されましたね。

もともとは日本の松方コレクションの一点だったわけですが、フランスで売却後、行方不明になっていたものがヒルデブラント・グルリットというナチス時代に政権から命じられて美術品を売買していたユダヤ人美術商の遺品の中から見つかった。他にもこのコレクションからはピカソ、シャガール、ルノワール、セザンヌ、ゴッホなどが大量に見つかったので、「ナチスに略奪された名画が大量に発見される」と世界的なニュースになりました。

熊澤　ユダヤ人のコレクションというのは、ナチス・ドイツが、一見合法的に見えるような形で売らせる、あるいは強制的に没収していたことで知られています。ナチスが略奪した美術品は現在でも欧米各国で大きな問題となっていて、その所有権をめぐって様々な裁判が起こされています。その結果、美術館の所蔵品となっていたものが、元のコレクターのもとに取り戻される、ということも起きています。

ナチス政権とつながりがあったユダヤ人コレクターの遺品の中から見つかったということで、まさに絵の来歴が注目されてニュースになったわけですね。

中野　その後、《嵐の海》はベルン美術館に遺贈されていたのですが、国立西洋美術館ではこれがナチス時代の略奪品ではないことを調査・確認したうえで買い戻したということです。

熊澤先生から作品の来歴を調査しなければならないという授業を受けたばかりでしたので、ああ、なるほど、こういうことなのかと納得しました。

熊澤　かつて日本人が所有していたということ。それがその後、散逸してしまうことになる松方コレクションだったということ。この絵も長い間行方不明になっていて、ナチス支配下にあってもユダヤ人のコレクターが保存し続けていたということ。

この作品にはそのような所有者のダイナミックな歴史があります。作品自体の見え方だけでなく、来歴が大事なんです。

見ていて癒やされるとか、元気が出るとか、深く考えさせられるとか、絵画の鑑賞が好きな方はそれぞれ理由があると思いますが、それを見てなぜ感動するのかというと「○○が描いてあるから」「描かれている人が美しいから」という、見かけ上のことだけではないと思います。

そこでは、見ているモノそれ自体の歴史、つまり、どんな歴史をたどって、人々が見た記憶をどんなふうに遡ったのか、ということから、自らの鑑賞体験、つまり、このような絵柄をかつて見たことがある、といったことが頭をめぐっているのではないでしょうか。**「情報」を踏まえながらこの絵を見ている**といったらよいかと思います。

中野　絵はそれぞれのいわば人生のようなものを持っていて、その来し方の情報にも大きな価値がある。オークションにかけられるものも、来歴が付加されることで価値が上がるという側面がありますね。「作家から直接、自分が最初に買った人です」というのも、それはそれでいいんですけれど、たとえば、これはスティーブ・ジョブズが持っていた、などとわかったら価値がグンと上がることもあるでしょう。そんな作品を手元に欲しいなと思う若手の起業家なんかは少なくないだろうと思います。

コレクターと館長の力

熊澤　作品を誰が買ったか、かつてそれを誰が持っていたのか、ということを含めて、作品にとって、「所有者」というのは大変強い影響力を持っています。たとえば、スタートトゥデイ社長（当時）の前澤友作さんは、２０１６年と17年に続けてジャン＝ミシェル・バスキア（１９６０〜８８）の絵画をそれぞれ62・4億円、１２３億円で落札しました。

バスキアの作品はデヴィッド・ボウイ、マドンナ、レオナルド・ディカプリオ、ジョニー・デップら著名人が購入していることが知られていますが、前澤さんがこのバスキアを手に入れたことは、日本のみならず世界も関心を持ちました。そして彼自身も、メガ・コレクターとして認識されるようになっています。そうすると必然的に、前澤さんが次は何を選ぶのか、ということも注目されるようになります。

このことのみならず、○○さんが所有した、という歴史的事実は、作品の情報にとって重要です。それによって、その作品、作家の評価が変化することもあり得ます。制作した人の視点だけでなく、選ぶ側の視点に重きを置かれる。美術史にも、この人が選んだものという形で名前が残ります。

中野　コレクターが強い影響力を持っているなら、ミュージアムの館長も力を持っていそうなものですけど、いかがですか？

熊澤　日本のミュージアムの館長の権限が強いか、と言われたら、それは難しいですね。美術館・博物館の現場から叩きあがった優れた館長さん、さらには40歳代の若い館長も登場しています。ただ、多くの場合、役所の配置転換の結果、ポストされる方が大半です。

一方、ヨーロッパの美術館、博物館の館長の権限はとても強いのです。それは、美術館の基本的なミッションのスタンスから、コレクション、展覧会の計画などを一手に責任をもってやる人が館長だから。

ミュージアムにはそれぞれ、設立以来の基本方針があります。それを様々な手段で実現させてゆくための全体的なヴィジョンを、館長は選べる立場にある人なのです。決められた予算のなかでどのような活動をし、どのようにコレクションを拡充させるか、どのように活動資金を獲得するか、といった様々な事柄に、館長の意向が示されて動いてゆくのです。

ただ、アメリカ、カナダ、メキシコの美術館館長によって構成される「美術館長協会」の示す指針では、美術館長は「個人的な利益のためにその影響力を行使してはならない」と明確に示されています。業者の仲介や作品売買などへの影響を与えるといった、館長の立場を使って個人的な活動をしてはならない、ということです。

館長ができるのは、「この方向で活動してゆこう」という組織の活動指針を決めることです。たとえば、コレクションのなかで、それまで注目されてこなかったある領域を強く打ち出す、とか、ミュージアムの組織そのものを拡張する、とか。いずれも大変な事業ですが、それを強いリーダーシップで進める、というわけです。

大ギャラリー、いわば神殿のような場所のトップに立つ人だからこそ、絶大な権力を持っている。だから、というわけではないですが、報酬も高くて、年収2000万〜3000万円をもらう館長たちもいます。

マインド・パレスを支配する

中野　神殿というのは言い得て妙ですね。マインド・パレス（記憶の宮殿）といって、記憶を場所として理解することで記憶力を強化し、さらに新しい発見や楽しみを味わう、という方法があります。体は拘束されていて、制限があっても、頭の中では自分のこの記憶の宮殿の部屋をいつでも自在に支配し、歩きまわることができるのです。中世の学者が実践していたもので、本が貴重だった時代には実際にこうして、頭の中にミュージアムのような仮想の構造物をつくっていたんですね。

ところで第1章で、コレクションの「蔵が深くなっていく」というお話がありました。個人のコレクションがミュージアムになってからもますます蔵は深くなっていき、思いがけないものが集まってくる。そしてあらゆる過去、歴史が蓄積されていく。となると、そうとう「ヤバい」ものも収蔵されているわけですね。

大学の博物館には、集める方の知識が尋常でないこともあって、ちょっと他では見られないようなものもあります。東京大学総合研究博物館には、著名な人物の脳とか、刺青がびっしりと入ったヒトの皮とか、太った人の屍蠟《しろう》化したご遺体など、なかなかインパクトのあるものがホルマリン漬けになっています。

熊澤　『ブラック・ジャック』の「イレズミの男」を思い出させますね。

中野　そういう点でも東大は大変充実しています。九州大学も頭蓋骨の収集で有名です。このようにヤバいものといえばまず、見た目にグロテスクであるとか、滅多に見られない標本などが思い浮かびましたが、ミュージアムのヤバいものというと、ニュアンスが違うのでしょうね。

性的表現・ヌードをめぐる論争

熊澤　ミュージアムの「ヤバいもの」とは、常ならざるもの、日常では見ないとか、あるいは通常の常識からするとドキリとするようなもの、ということですね。

ミュージアムにあるコレクションは、第1章でもご説明したように、「博物館資料」という名前で呼ばれます。この資料のなかには、確かに我々の常識を超えたものが山ほどあります。

それは美術のコレクションでいえば、いわゆる公序良俗に反するものです。民法の第五章　法律行為の第九〇条には、「公の秩序又は善良の風俗に反する法律行為は、無効とする」と書かれていますが、現在の私たちの価値観から見て「公の秩序」に合わないものであっても、それはかつてはそうではなかった、あるいは、「公」の概念が徐々に変わった、など、様々な理由はあるでしょう。

現在、一般の人が「公序良俗」に反すると考えるものといえば、性的なもの、身分制度や様々な差別意識を含んだもの、それを広くゆるく「道徳的によろしくない」と

永青文庫の「春画展」

言っているのかもしれませんが、一般の来場者、あるいは一般の市民の人々にお見せするのが難しいものが、コレクションに入っていることはあります。性的な表現のものには、本格的に描かれた絵画や彫刻などの芸術作品だけでなく、ひそやかに描かれたスケッチや版画、様々なルートで流通された書籍などもあります。

市民の一般的な活動を記録したような資料がコレクションされることもあり、そしてそれらが公的なミュージアム・コレクションになることは、特に奇妙なことでもありません。

中野　2015年になりますが、永青文庫で国内初の「春画展」をやりましたね。これを『週刊文春』が巻末グラビアで6ページほど掲載しました。その後、編集長が3ヵ月間休養したという事件がありました。

熊澤　春画はマネやモネなどの印象派、ピカソ、ロダン、ロートレックらにも影響を与えています。2013年に大英博物館で「春画特別展」が開かれたときは大ヒットしたんです。このときには、欧米、そして日本にある春画も集められました。イギリスだけでなく各国から人が集まりましたし、美術の専門メディアのみならず一般メディアからも注目され、高評価を受けました。

このロンドンの「春画展」を日本でも巡回しないかという話があったのですが、どこのミュージアムでも実現できなかったそうです。それは、春画というテーマそのものが、日本では受け付けられないのでは、という心配があったためです。

日本のミュージアムで春画の展覧会を実施するのは大変だったかと思います。永青文庫の「春画展」以前にも、日本では春画は時々展示されていました。ただ、それを「公立の」ミュージアムで展覧会としてまとめて紹介するのは、依然としてハードルが高いと思います。春画をテーマとする本を出版することのハードルは、以前と比べたら下がったとは思いますが……。

中野　テレビ局でも、サイレント・マジョリティが受け入れていることであっても、ごく少数の強い意見を持った方がクレームの電話をかけてきたり、投書したりします。それを避けるために、ちょっとでも尖った表現はしないようにする。放送コードがどんどんタイトになってきて、どこも似たような番組しかやらなくなるという現象が起きています。

『放送中止事件50年―テレビは何を伝えることを拒んだか』（花伝社）は、一般の人たちが何を受け入れなかったかというこの50年間の歴史を振り返ったものなんですが、死刑囚の声とか、自衛隊がらみの話ですとか、出演者の政治的立場とか、そういうことで中止になっていることがわかります。これは、デーブ・スペクターさんに薦められて読んだのですが、異文化で育った方の目から見て、何がその文化のコードに触れるのかを分析するのは大変興味深いものだったでしょう。

日本の人々は歴史的には、どんなことを問題視して、ミュージアムへの批判を加えてきたのですか？

クレームとの戦い

熊澤　ミュージアムがいま抱える問題の本丸に、いきなり攻め込まれた感じがしますね（笑）。

中野　ごめんなさい（笑）。

熊澤　２０１９年の「あいちトリエンナーレ」の企画展「表現の不自由展・その後」の少女像（慰安婦像）をめぐる抗議、展示中止、補助金交付の取りやめといった一連の騒動も記憶に新しいですが、その前に、社会問題化したことで有名な事件として、「富山県立近代美術館事件」があります。

１９８６年、富山県立近代美術館（当時。現在は富山県美術館）で開催された展覧会に、アーティストの大浦信行（１９４９～）の版画連作《遠近を抱えて》（１９８２～８５）が出品されました。昭和天皇の図像を部分的に引用し、女性像をコラージュした作品で、富山県立近代美術館が購入したものです。

展覧会では特に問題はなかったのですが、終了後にこの作品を問題視する県議会議員があらわれ、さらに全国の右翼団体による抗議行動が頻発し、作品の非公開や廃棄処分などを求めました。この事態に対し、富山県教育委員会も管理運営上の問題から、作品の非公開を決め、さらにその後、作品は売却され、図版が掲載された図録も焼却処分される、ということが起きたのです。

この事態はさらに、作者および支援者側が、「表現の自由」「鑑賞する権利」の侵害を主張して訴訟するに至りました。最高裁まで争われたこの一件で、原告の作者側の主張が通らなかったのです。

これは、表現の自由、美術館行政を実行することの困難さ、そして天皇に関わる表現の難しさを明るみに出しました。特に最後の部分については、さきの「あいちトリエンナーレ」の騒動での最も大きな論点になっていました。この「展示するにふさわしくない」「不敬だ」というクレームは多いですね。

もう一つのパターンは、性表現です。性的な表現に対する騒動はいろいろなものがありますが、日本国内の事例で言うと、明治・大正期の洋画をリードした画家、黒田清輝（1866～1924）の「腰巻事件」が有名ですね。黒田は長くフランスに留学して、現地のアカデミックな美術を学んでいました。帰国後、東京美術学校（現在の東京藝術大学美術学部）の西洋画科で主導的な立場になった人です。

黒田は帰国してから複数の展覧会で、女性ヌードの作品を展示していたのですが、時に展示されるべきか否か、議論が起きたりしていました。そして、1901（明治34）年、白馬会展という展覧会に出品された黒田の《裸体婦人像》と数点の作品に対

布がかけられた黒田清輝の《裸体婦人像》
『明星』17（1901年11月）より

し、著しく風紀を紊乱《びんらん》するもの、として、警察が取り締まりを行ったのです。黒田はそれに対して、作品撤去を行わず、絵の下半分を布で覆って展示を続けました。

　同様のことが2014年に愛知県美術館で起きました。写真家の鷹野隆大（1963〜）が、自分をモデルとした男性ヌード写真の作品を展示しました。写真家本人ともう一人、男性同士で肩を組んだ構図で、二人ともヌードで正面を向いています。

　これに対し、匿名の市民が警察に通報しました。愛知県警はこの写真を猥褻物の陳列に当たるとしたのです。警察に連絡が行くと、それはクレームではなく通報になりますから、警察が出動しなければならなくなるんですね。

もともと、この作品を展示するために、愛知県美術館は当初から、一部の鑑賞者が不快になるかもしれない、という配慮のもと、他の展示室とはカーテンで仕切りをつくっていましたが、県警は作品の撤去を求めた。美術館はこの事態に対し、作者と協議したうえで、性器が写った部分を布とトレーシングペーパーで覆って作品展示を続けたのです。これによって県警も手を引いた、という事件です。

布で覆って展示を続けた、という点は、だれもが腰巻事件を思い起こすでしょう。愛知県美術館はこの事態に対し、かなり苦労しながらも、美術館としてできるぎりぎりのところまで頑張って踏みとどまったことがわかります。展示中止ではなく、何とか展示を続ける方向で作家と協議しました。頑張っているというより、誠実といったほうがいいですね。

中野　そうですね。できる限り誠実に対応しようとした苦闘がにじむような感があります。

「公共性」とはなにか

熊澤　ヌードに関してなぜ、クレームが来るのかというと、ミュージアムのスペースが公共のスペースだからということが根本にあります。公共のスペースで人は裸で歩かないというのと同じで、公共の地下鉄のホームの広告に男性フルヌードの写真は出ません。

東京都を拠点とする広告会社の「広告掲出規則」等を見ると、「表現規制」のなかに「公序良俗に反するもの」として「男女のヌードを添えた意匠」とはっきり記されています。一方、「絵画に関しては審査の上承認する場合がある」とも記されており、絵画ではヌードが完全NGというわけではないようです。

広告であるか否かは別にしても、公の場でのヌードのイメージを、それが「アート」であろうがなかろうが、嫌なものは嫌な人がいるわけです。ただそれとは別に、美術館などでの展示が、単なる「公」の場であるのか。「公（パブリック）」と「私（プライベート）」にスパッと区分できる場なのか。展示される「表現物」は……という具合に、展示室は「論争の場」のようになるわけです。

一般の人々に向けて開かれた場に対して、人々が様々な意見を持つのは当然のことですが、同時にクレームが集まる場ともなってしまうので、ひとつのものを展示するための「公共性」とはなにか、ということを改めて考えさせられます。

それは、「嫌がる人がいるから外すべきというクレームに応えるのが公共性だ」という意味ではなく、様々な価値観を支えるための場を維持することにこそ、公共性がある、と言えるかもしれません。

《世界の起源》の前で……

中野　「エロス」といえば真っ先に思い浮かぶ名画は、フランスのオルセー美術館に展示されているギュスターヴ・クールベ（1819〜77）の《世界の起源》です。女性の黒い陰毛で覆われた局部がドーンと描いてある油絵ですが、あれは日本に来た場合、ひと悶着あると思うんです。

オルセー美術館はどういう扱いをしているんですか？

熊澤　展示室にオープンに飾られています。

中野　別にフランス人は怒らないんですね。

熊澤　はい。ただ、問題が起きないか、というとそうでもありません。数年前に起きた「事件」なのですが、デボラ・ドゥ・ロベルティスというルクセンブルク出身のアーティスト、アクティヴィストが、《世界の起源》の前に、ワンピースを着て現れたと思いきや、観客のほうを向いて座り、クールベの絵と同じように開脚して、局部を露にした。

中野　これはなかなか、勇気があるというか……。

熊澤　当然、直ちに警備員に捉えられて連れて行かれました。ＢＢＣなどでさんざんニュースになったんです。これは、現場の立場からすれば「事故」そのものですが、展示の空間は、ときどきそういう常ならざるものが発生しかねない場でもあるんですね。

第１章でもお話ししたように、そもそもコレクションには様々な「常ならぬもの」が入っています。そして、意図的であるかどうかは別にして、猥雑なものとか、道徳的にきわどいと思えるものがコレクションに入る場合もあります。絵画や彫刻など、公に展示することを想定したものもあれば、書籍・漫画のように、一人で鑑賞・読書するものもあります。さらに、スケッチブックに残されたデッサンや書籍のための草稿など、人に見せることを前提としていないものもあります。

この種のものを、「道徳的に許されない」と批判する必要はありません。たとえ展示しにくいものであったとしても、過去にこのような創作活動をする人もいた、人々はこのようなイマジネーションを持っていた、ということを知ることができる、歴史の重要な証人と考えるとよいと思います。

プライベートなキャラクターの強い資料は、オフィシャルなものと比べると存続しにくいですね。たとえば個人のアルバムはその家で引き継がれて、公的なものとしてなかなか外に出てこないのですが、年月が経つと、過去の風俗・文化を示す歴史的資料となります。

「冒瀆的な作品を作るとは何事だ！」

熊澤　話は前後しますが、歴史の証人となりうるものであるなら、今の価値観で拒否されてしまうものも、残しておいたほうがいいと思います。現在の価値観で拒否されつつあるものといえば、アメリカで白人警官による黒人の市民殺害事件に端を発した#BlackLivesMatter運動から派生した、銅像撤去運動も思い出されます。各所に立てられている銅像には、過去の植民地政策や黒人奴隷制度の推進者が多く含まれますが、近年それを撤去する動きがでています。

このような像を撤去することは否定されるべきではありません。ただ、長きにわたってそのような像が街の中心に立っていた、という歴史的事実、そして像そのものは、歴史の証人として残しておくことがよいと思います。

中野　「あいちトリエンナーレ」の一件と同じような経緯をたどったもので、写真家のアンドレス・セラーノ（１９５０〜）の"Piss Christ"という映像作品があります。この人の作品はヘヴィメタバンドMetallicaのアルバムジャケットにもなったりしているのですが、なんと、"Piss Christ"は自分の尿を入れた容器にキリスト像を沈めて写真を撮ったものなんです。

《浸礼（小便キリスト）》と日本語のタイトルは訳されているようです。アメリカで展示をされたときに、「公的な助成金を使ってこんな冒瀆的な作品を作るとは何事だ！」という議論が起こりました。そしてフランスのアヴィニョンで展示されたときに、ハンマーで叩き割られたのです。

性的な表現には比較的おおらかに見える欧米でも、宗教に関する内容にはセンシティヴで、激しく糾弾されるということが起こりやすいようですね。

出版物、印刷物は、基本的にはマスに向けて大部数を作製・印刷するものであり、制作の段階でコードを比較的考慮されることが多いですね。大きな絵画の場合、一点ものとして制作されますから、主張がかなり強く表現され、また受けとめも過敏になりやすいところがあります。

作品の意味・恐ろしさがわからない世代

熊澤　もう一つ、日本では大丈夫だけれども、他の国では受け入れ難いというものに旭日旗があります。旭日旗に見えるデザイン、旭日旗の一部を使ったと見られるデザインは、それだけで韓国ではＮＧです。また、ナチスのハーケンクロイツ（鉤十字）もＮＧです。

中野　ハーケンクロイツは世界中で公的にＮＧとされていることが多いですよね。

熊澤　そうなのですが、このことについてはいくつか問題がありまして、一つは、ナチスのことを評価する人がいるんです。極右といわれる人たちの中に「ネオナチ」の人たちがいたりする。

　もう一つは、ハーケンクロイツの意味をわかっていない人々もいる、ということです。これは私にとっては想像を絶することだったんですが、２０１６年に女性アイドルグループ「欅坂46」が問題になったことがありましたよね。

中野 コスチュームがナチスの制服に似ていると、大炎上しましたね。演出側はカッコいいと考え、良かれと思ってそうしたのでしょうが……。

熊澤 実は、私自身もこんな経験をしているんです。

ヴィルヘルム・フルトヴェングラー（1886〜1954）が1942年のヒトラーの誕生日祝賀会でベートーヴェンの第九交響曲を指揮した、有名な映像があります。これを講義の素材として使用したことがあります。開始30秒ぐらいでハーケンクロイツが出てきます。

講義では、最初に音だけ聴かせる。次に動画を見てもらいます。すると、音は同じであるにもかかわらず、映像として見てもらったら、ここにはナチスを示すものがはっきり示されている。つまり「ベートーヴェンの第九」であった音が、「フルトヴェングラーが指揮し、ヒトラーの誕生日のために演奏された、ベートーヴェンの第九」という映像として紹介されたとたん、意味が変わってしまう、これが「情報の積み重ね」の意義だ、と言おうと思ったんですよ。

中野 背景の情報によって意味するものが変わってしまうマジックですね。

熊澤　ところが、ある講義の場でこのことを紹介したところ、ショックを受けている人々がいる一方で、ピンと来ていない人々もいたのです。少し前に、若い世代の間で「まじ卍《マンジ》～」というのが流行りましたが、ハーケンクロイツを「え？　これなに、マンジ？」と思っている人もいるんです。あの記号をナチスの象徴だと思っていない。

これは私にとってショックでした。ナチスに関するものは、ヨーロッパでは完全にNGです。それればかりか、法律としても、ドイツでは「ドイツ刑法典」のなかで、民族を扇動する行為として、ヒトラーやナチス・ドイツを礼讃したり讃美したり、ナチス式の敬礼やシンボルを見せる言動は禁止されているほど、極めて厳しい対応がなされています。それに対し、「ネオナチ」と呼ばれる過激な運動もあるのですが、それとは別に、ナチスを知らないという若い層が出てきたんです。

ですから、キリストが尿にまみれていても、同じ視点に立てば、「キリスト像がなんかオレンジっぽいですね」という無理解で終わる可能性すらあるわけです。それが凌辱を意味し、ある種の文化圏を全否定するようなカルチャーになり得るということが、理解されない。したがって、作家が何に挑戦しているかもわからない場合があるんですよ。

中野　将来的には、春画を観ても、「昔の人の体型はこうだったのね」みたいなあっさりした感想になるということですか。

熊澤　「この女の人、くびれがない」のような感想だけで終わっちゃう可能性はありますね。常ならざるものの展示、常ならざるもののコレクションは確実に存在するし、だからこそ、何を展示するか、何をコレクションするのか、という問題は、審美眼や歴史的意義の有無だけでなく、いろいろな政治的駆け引きになったりする。

しかし、展示やコレクションとはその駆け引きがあるガチガチの場所だということが、ある種の人にはまったく伝わっていないこともあるのです。

新たな意義を見出す学芸員

中野　でも、知識がコンテクストに紐づくことによってヤバさが際立つものが、ミュージアムにはいっぱい埋まっているのでしょう。

たとえは悪いかもしれませんが、酸性洗剤と塩素系漂白剤を混ぜると有毒な塩素ガスが発生するから、「混ぜるな危険」と書いてありますよね。知識とモノを普段は別々に保持しておく。しかし、混ぜるとそれほど劇的なインパクトがある。

熊澤　まさしく、先ほどお話しした一次資料は、二次資料の情報に紐づけられたものとして、その価値が出てくる。そこで重要な存在となるのが、専門職員である「学芸員」です。

学芸員は、「博物館法」という法律のなかで、すべきことが明示されています。

「学芸員は、博物館資料の収集、保管、展示及び調査研究その他これと関連する事業についての専門的事項をつかさどる」（博物館法第四条4項）

これは、日本だけの独自ルールということではなく、世界のミュージアムをつなげる組織である「国際博物館会議」（ＩＣＯＭ）でも、ミュージアムとは「有形、無形の人類の遺産とその環境を、教育、研究などのために収集、保存、調査研究、普及、展示」する場所だと定めています。そしてこのミッションを担うのがミュージアムの専門職員、つまり学芸員です。

コレクションを集める、維持管理する、調べる、そして様々な形でお披露目する、というのがこの仕事の根幹をなしています。そして実際、コレクションにある資料が何か、どのような価値があるのかを調べ、紐づけられる情報を見つける仕事をしています。とても地味に見える作業ですが、モノと情報を関連付けることによって、モノの価値が発見される、といったら大げさですが、新たな意義をもったりすることもあるわけです。

ちょっとした事例をご紹介しましょう。私が勤務する東京藝術大学大学美術館には様々な美術作品や資料が所蔵されていますが、そのなかに、作者名が判然としないヨーロッパ近代の水彩画群があります。

これらは、東京美術学校の時代、西洋画科（現在の藝大美術学部絵画科油画専攻）で黒田清輝が主導的な立場にいたときに納入されたものであることまでは分かっていました。ただそれらは小さな作品であったこともあり、大学内外で関心をもたれることは殆《ほとん》どありませんでした。「有名無名の19世紀西欧画家によるもの」、つまりよく分からない人々の作品という扱いしかされていないものだったのです。

ただ、それらの過去の展覧会出品歴を詳細に調べたところ、白馬会という、黒田清輝主導の洋画の展覧会に参考出品されていたことが分かりました。そして、その当時の新聞記事に書かれた展覧会評を見てみると、旧所蔵者の名前が言及されていました。その人は内田正雄といい、幕末にオランダに留学し、現地で当時のオランダ絵画や水彩画などの作品を購入して持って帰ってきた人です。

この内田正雄が持ち帰ったオランダ絵画は、幕末・明治初年の日本にとっては、最新の「ヨーロッパのモダンアート」だったのです。そして実際、当時の日本の展覧会などで、高橋由一など、最初期の洋画家たちにインパクトを与えたものでした。

作品本体を見ているだけでは、このような来歴を辿ることは出来ません。モノと情報をつなぎ合わせて、ようやく判明したりするわけです。

これは、コレクションの調査の結果の一例にすぎません。こういう地道な作業を、学芸員さんたちは少しずつ積み重ねています。これによって、ミュージアムのコレクションは意味あるものへと作り上げられているわけです。

学芸員の使命

中野　学芸員の果たすべき役割について、一言明示しておかなければ、と常々思っていた事柄があります。学芸員の仕事に関して、２０１７年に、某大臣が「一番のがんは文化学芸員と言われる人たちだ。観光マインドがまったくない。一掃しなければ駄目だ」という、近視眼的といえるようなコメントをされたことがありました。

地方創生とは端的に言って経済的な利益を上げることなのだから、学芸員の人たちも観光マインドを持って、観光客が喜ぶようなパフォーマンスをやれ、文化財のルールを守っているだけではダメだという主旨です。たしかに一理あるようにみえる。しかし、これは民間の発想です。もちろん利潤の追求は大切。ただ、公的なものを仕切る存在として大臣の職にある方は、国家百年の計という視点から文化と学芸員の意義を捉えてほしかったなと思ったのです。

熊澤　本当に哀しかったですね。

たとえば、国宝の《鳥獣人物戯画》は面白いですよね。カエルとウサギが相撲をとっている有名な画巻です。よく、日本最古の漫画といわれたりもしますが、漫画の元祖であるかどうかは別にして、即興的な筆遣いで動物たちを擬人化した表現は自由で魅力的ですね。

もし、この鳥獣戯画を見たくて人が集まることだけに注目して、この実物を365日ずっと展示しておけば、たしかに観光立国を目指す、という点だけで考えたら、お客さんが集まるでしょうね。

しかし、そのようなことをしたら、あっという間にこの巻物は傷み、そのダメージは計り知れない。800年くらいも前の平安から鎌倉時代に描かれたものですから、ただ出すだけで傷んでしまいます。

中野　不眠不休で人間を24時間、365日働かせ続けるようなものですね。そんなことをしたら脳は不可逆的なダメージを負ってしまいます。

熊澤　これに対して、展示する日数を決め、ダメージを極力減らすように配慮して展示することを職務として、そして職業倫理として行うのが、学芸員の使命なんです。

中野　長く健康でいられるように、巨視的な視点から戦略を立てて管理するというのが、生命体とのアナロジーを感じるところです。

熊澤　同様のことは、図書館の司書の方々にも言えます。何も知らない人にとっては、司書というのは、図書館の窓口で本のバーコードをピッとやって貸し出して、ピッとやって受け取っているだけ、と思っている人もいるかもしれません。

ですが、博物館に対して博物館法があるのと同じように図書館にも図書館法がありま す。図書館は「図書、記録その他必要な資料を収集し、整理し、保存して、一般公衆の利用に供」する、という社会教育機関としての役目があり、このミッションを実行するために専門職員として「司書」がいます。

そのなかでは、レファレンスといって、利用者のために図書を探すことをサポートするのも重要です。これは「図書館資料について十分な知識を持ち、その利用のための相談に応ずる」という職務に即した、専門的な仕事なのです。

中野　脳についても同じような質問を、一般の人から受けることがあります。なぜ人は休むのか、眠るのか、と。それがなければもっと活動できるのに、というのです。しかし、人は眠ることによって長期的な活動ができ、却って効率良く物事を処理できるのです。

熊澤　とても大事な仕事なのに、一般の人々には見えにくいということがあるんですよ。このように、目に見えにくく華々しい仕事ではないけれど、重要な役目を果たしている、というのが、学芸員であり司書というわけです。

見えにくいものにこそコストをかけよ

中野　経済的な裁量権を持っている人たちに、現場がやっている仕事の重要性が認識されにくい業務ですよね。ミュージアムの学芸員はまさにそうですね。

第1章でミュージアムの機能を脳の記憶の機能になぞらえましたが、脳というのは科学が発展するまでの人類史における長い間、ずっと、何をしているのかわからない器官だったんです。中を開けてみても何だかよくわからない。取り出してもちょっと放っておけば、脂肪の多い組織ですからドロドロに溶けちゃうし、構造を見ても、消化管みたいに機能がすぐわかるわけではない。それどころか10％も使っていないんじゃないかとさえ言われていた。

では、その脳は「予算」をどれくらい使うのか。人体における予算というのは酸素とブドウ糖なんですが、脳だけで酸素は全体の4分の1、ブドウ糖は5分の1を使うんです。重さは身体全体の2〜3％しかなく、それなのに予算は4分の1も使うという。こんなに予算を使う器官が、何もしていないわけがなく、90％もその機能を余らせている道理がない。人体にはそんな余裕はありません。ただ、働きが見えにくいだけなんです。

頭蓋骨に囲まれていることもあって外から見えにくい。けれど、それがいろいろな仕事をしているのです。脳はただボーッとしているだけでもフル活動しているときの80％のエネルギーを使っていることがわかっています。ただ保持をするのにもものすごく予算が要る一方で、熱とかカロリーといったすぐ使えるわかりやすい資産をたくさん生み出してくれるわけでもないので、そんな予算食い虫はどんどん縮小しろ、機能は削れ、節約しろと命令されるということがずっと起きているんですよね。人類の脳は3万年前と比べて、容積にして10％ほど小さくなっているといわれています。

熊澤　ミュージアムは建物を造らなければいけないし、展覧会を開かなくても、土地代も水道代も電気代もかかる。でも、中に所蔵されてあるものを維持し、なおかつ調べ続けていかなければなりません。

中野　そういった、見えにくいけれど必要なコストにきちんとお金を配分できることこそ、文化的な先進国であることの証なのですけれどね。目に見えるわかりやすいものばかりにしかコストをかけず、見えないところをカットすると、脳が縮小するように、国や人類全体も衰退していってしまうのではないでしょうか。

閉館時も静かに準備し続けている

熊澤　私が勤務している藝大の美術館でいえば、狩野芳崖（1828〜88）の《悲母観音》や、上村松園（1875〜1949）の《序の舞》などがよく知られています。文字通りスターといっていいかもしれない。

このスターにはお金をかける、脳にあてはめてみればブドウ糖をいっぱい使うことはあると思います。ただ、それ以外のものにも価値があるので、それらにもブドウ糖を使って世話をしつづける必要があります。

中野　面白いですね。人間の脳は寝ているときは何をしているのか、人間になぜ睡眠が必要なのかというと、簡単に言えば脳は使っていればゴミが溜まって、そのゴミが神経細胞を傷めつけるので、必ず洗わないといけない、という機構になっているんです。そして、その洗う作業は寝ている間しかできないんです。あたかも、鉄道の架線工事は運行のない深夜に行うか、運休が必要といった事情と似たようなものです。

そのウォッシュアウトに睡眠が必要なんですが、ゴミが溜まると記憶を新たに形成しにくくなったり、場合によってはアルツハイマー型認知症になったりします。睡眠をとることで、記憶のつながりもよりよくなるんですね。休館中や展示をしていないときのミュージアムは、まさに同じような作業をやっていると思うんですけれど、展覧会をやっているときのミュージアムの姿がやはり人目に触れやすいので、そちらの印象が強くなりますね。

熊澤　展覧会が近づくと、その準備のためにみなが忙しく動いているように見えます。直前はとても忙しいのですが、実際は長い時間をかけて準備をしていて、展覧会が始まる数年前からずっとやっているんです。資料を展示することができるか確認する、それがよければ展示する場所に移動させる、そして展示する。

もちろんその前に、作品をいれるためのケースを作製したり移動させたりするのにも予想以上に手間がかかります。そして、展示されている作品を説明するパネルやキャプションを作成することも必要です。こういう施工・展示には時間もお金もかかっています。

ただ、開館していないときにもミュージアムは静かに中で動いています。それはミュージアムにとっての日常的な仕事で、そのなかには、作品や資料を整理したり、調べたり、様々なドキュメントを作成したりします。将来に向けての準備をする、ということもあれば、掃除をするといったことも当然やっています。

展覧会をつくる仕事だけでなく、展覧会には出ない作品の管理、作品調査には常に労力もお金もかかっている。これらは見えにくいものですが、ミュージアムの根本をなす仕事になるわけです。

中野　たとえば、一時的に流行してメディアに出たり、有名になったり、人気を博したりするタイプのミュージアムもありますが、必ずしも文化史的な視点から評価されるかというとそうでもない。

派手なアピールをしないかもしれないけれど、他が持ち得ない知識の蓄積がそこにはあるなという共通認識を得ていると、そうした評価につながるようですね。人でもそうです。出てくる言葉のボキャブラリーが普通の人と違ったり、普段使う言葉でも漢籍を引用した言葉がスッと出てくるとか、仏典に詳しいとか、哲学が好きで教養が深いとか。そういう素養は、外からはどこに貯まっているのか見ることはできないのだけれど、その人の脳の中にあるわけですよね。

その人の持っているアーカイブが違うから、それぞれの個性が出るし、対話をする楽しみが生まれる。けれど、その部分をないがしろにして、筋肉や瞬発的な判断力だけ鍛えましょうということからは、人としてその人に会いたくなるような魅力的な何かは生まれそうにありません。明日生きるための活力はそういう人のほうがあるかもしれないけれども、長い間を、世代交代しながら、記憶を学習のリソースとして生きる生物種である人間としてはどうでしょうか。そういった短期的に目減りするものより、未来に生きる記憶としての知識の蓄積のほうにより傾注した方が、サステイナブルかつ実はお得なんじゃないかしら、という感覚が私にはあるんですよね。

熊澤　なるほど、「知識の蓄積」ですね。私としては、知識や情報が集められ、積み重ねられた状態の場を、ミュージアムと理解しています。それって、人間の記憶の状態ともリンクするかもしれませんね。

断捨離はしないほうがいい？

中野　日本発でアメリカでも流行った「断捨離」「ときめき片づけ」という考えがあります。２０１９年のエイプリル・フールに「こんまり」こと近藤麻理恵さんがメトロポリタン美術館の収蔵品アドバイザーに就任、というジョークが流れ、多くの人をなごませました。

私は捨てることは嫌いではないけれども、捨てて失敗したなと思うことも多いんです。後々まで取っておいたらその価値を再発見することがあるかもしれない、その楽しみを捨ててしまっている気がします。散らかって見苦しいのなら整理しておけばいいだけのことであって、後から価値が出てくるものもたくさんあるわけです。

断捨離という考え方を基にしてモノを処分していってしまうと、明日、明後日ぐらいまでに必要なものしか残らないんですよね。それが私は、あまりいいことのような気がしません。日本の豊かな文化というのは、一見ムダにみえるものをどれだけ活かせるか、ではないかと思うのです。裏千家のお茶道具を扱うお店のご主人とお話しをしたことがありましたが、捨てられたものを活かすところに美があるとおっしゃる。断捨離は、それを貧しくしてしまうものなのではないかとさえ思うんです。

熊澤　よくわかります。確かに実務上、効率よく動くとか、空間を作る、といったことを考えたときに、断捨離が必要なときはありますし、個人としても必要かな、と思うときもありますが、ミュージアムの理想は「捨てない」です。可能であればコレクションに関わるものはどんどん集めたいし、その種のものが手に入れられそうであれば、100％いただきたい、とすら思います。

もちろんこれは、現実的には不可能なことです。資料を収め切るための収蔵能力には上限があります。空間的にも、経済的にも、その状況を管理する人員的にも限界があるわけです。そうなると、せめて情報とか、資料は集めておきたいですね。

実物はすでに失われているけれど、資料を通じてその存在が伝えられるということはよくありますよね。すでに失われた絵画作品が、複製版画などでどのような状態であったかを彷彿させることができます。ミュージアムの用語でいえば、複製は二次資料、ということになりますが、かつて実物がどのようなものであったのかを推測することはできます。

また、過去に高く評価されていた芸術家の作品の名前、作者の名前だけが残っている場合があります。そのような形で、モノが残り、記録が残れば、たとえ完全ではないにしても、過去をたどることができるようになる。理想は、実物が全て残ることではありますが、せめて何らかの痕跡が残るようにしたい。そのようなことを行う場の一つがミュージアムかもしれません。

ただ、実物・資料をともに残したいけれど、それを収めるための収蔵スペースが、日本中の大きな博物館・美術館、小さな資料館で足りなくなっている、というか、スペースは限界を迎えている、という厳しい現実があるのです。これは日本だけでなく、世界のミュージアムがかかえる大問題の一つです。とてもとてもつらい現実です。

近代資本主義とミュージアム

中野　倉庫を新しく建て増す計画などはないのですか?

熊澤　そうですね、そうしたいのですが、費用だけで数十億円かかると思いますよ。

中野　すぐには出せない額かもしれませんね。公的に配布されたマスクの費用と比較する人もいそうですが……。

アメリカの作家レイ・ブラッドベリ（1920〜2012）の『華氏451度』はフランソワ・トリュフォー監督（1932〜84）によって『華氏451』（1966年）という映画にもなっていますが、描かれているのは本の所持が禁止され、発見されたら焼かれてしまう社会、アーカイブを参照せずに、表層的な感覚で生きましょうという世界です。

アーカイブを参照すると、文化を破壊する人として反革命分子扱いとなり、中央政府の監視下に置かれます。この世界で生きる人は思考力と記憶力が奪われ、数年前の出来事も覚えていない。それが社会の秩序と安定に必要な要件です、というある種のディストピアです。政府がアーカイブを許しませんという社会なんですね。

数年前の出来事を覚えていないのがいいことなのかどうか。つらいだけの記憶がなかなか処理できず、忘れられずに苦しい、といったこともあります。つらい記憶にさいなまれるあまり死を選ぶ人もいるくらいで、そんな場合には、覚えていなければそれによって死なないで済むということはあるかもしれません。

とはいえ現在、アクティブに動いて儲けようぜという社会、近代資本主義の延長のようなところに私たちはまだいます。考え方によっては現代の私たちも『華氏451度』の世界と似た社会の中にいるのかもしれない。強権的な力によって忘却させられるのではなく、効率と成果を求め、「選択と集中」を過剰なまでに要求する同調圧力が、私たちに自発的に記憶を捨てさせるのです。

その近代資本主義とミュージアムのあり方については、馴染むようでいて、アンチテーゼを提示しているようなところもある。何かもう少し違う社会のあり方というのができるといいのかなと思ったりします。

熊澤　なるほど、近代資本主義とミュージアムが馴染むようで馴染まないというのは、興味深い視点ですね。大きな展覧会をやっている場所、すなわち大勢の人が集まる場所は、それで経済が活性化する。万国博覧会の世界もそれに系列していると思うんです。祭りや物産展もそうですね。

そのような場に集まり、展示されたり、そして収集されるコレクションは多種多様です。名品、珍品として大事に集められたものもあればそうでないものもある。その中には、ある種の人には受け入れがたいもの、拒否したいものも出てくるでしょう。

中野　「まつろわぬもの」、つまり服従しない作品が存在するわけですね。

熊澤　その「まつろわぬもの」がコレクションのなかにいるとしたらそれは何でしょうか。それは少なくとも、今この瞬間の価値観に合わないもの、相応しくないもの、となるかもしれません。あるいは、時の政権を批判しているものも、扱いにくいもの、となりうる可能性はあります。

ただ、これが重要だ、そうではない、という価値基準は、時代の移り変わりを経て更新されることもあります。だから、基準に合わない、へたをすると処分の対象となるかもしれないものであったとしても、取っておくことに意味があるんです。

アムステルダム博物館はすべてをさらけ出す

中野　現代の日本は捨てる文化が大きな位置を占める国なんですが、ヨーロッパの美術館、特にオランダ・アムステルダム博物館は、「常ならざるもの」がたくさん保存されているということですね。

熊澤　アムステルダム博物館という場所をご紹介できるのはとてもよいことです。そもそも、アムステルダムという街はミュージアムの宝庫です。レンブラントの《夜警》

のあるアムステルダム国立美術館（Rijksmuseum）がもっとも有名で、その他にも、ファン・ゴッホ美術館や、現代美術の殿堂といえるようなアムステルダム市立美術館、レンブラントハイス（レンブラントの家）、そしてアンネ・フランクの家など、オランダの美術、文化、歴史にゆかりのあるミュージアムが多いです。

そのなかで、アムステルダム博物館（Amsterdam Museum）は、コレクションの性質や館の活動という点でとても興味深いところであり、ミュージアムの思想、哲学が表れています。アムステルダム博物館は、アムステルダム市に関わる資料をコレクションし、アムステルダムの文化・歴史を紹介する様々な活動を行っています。美術史の立場にいる私からすると、レンブラントを含めた17世紀の集団肖像画がとりわけ注目されます。

この館の活動方針はとても明確です。ウェブサイトには、アムステルダム博物館を「市のことを学びたい皆さんにとってのミーティング・プレイスです」としていて、アムステルダムのことを「世界都市であり、同時に、小さく趣があり、強い精神を持つ街。ヨハン・クライフ、レンブラント、アヤックス、売春街、オランダ東インド会社、マリファナの街。オランダの首都、そして水との関わり、起業家精神、想像力、自由な発想をもつ、千年の歴史をもつ通商の街」と定義しています。

伝説のサッカー選手であるヨハン・クライフやサッカーチームのアヤックスが入っていることはとても分かりやすいのですが、売春街やマリファナという、きわどいものまで挙がっています。

ご存じの方も多いと思いますが、アムステルダムは「飾り窓」と呼ばれる売春街がとても有名です。そこで働く人たちにも社会保障番号があるなど権利は保障されていますし、そこで働く人も自らの権利を主張しています。まず、この事実そのものが、我が国では考えられない状況だと思います。

ただ、そうであっても、この場所は「健全な場所」というわけではない。アムステルダム博物館は「飾り窓」という、私たちからすると扱いづらい場所を抱えている歴史に注目し、展覧会を行い、イベントを行い、さらには資料をコレクションするんです。

中野　日本でたとえるならば、「吉原展」をやるようなものですよね。

熊澤　吉原展ですか――。その展覧会タイトルは、心にとめておいてください。近々何かが起きるかもしれません。ふふふ。

中野　承知しました（笑）。

熊澤　吉原とかアムステルダムの売春街というのもまた、その街でおきた歴史的な現象であり、文化的な特徴です。この文化には明らかに暗い側面もあるわけですが、アムステルダム博物館にはその売春婦にかかわるコレクションもあるんです。

でも、それもこの街の一つの特徴なんですよと、都合のいいものだけではないものに公平な視線を向け、それも自分たちの歴史だとしている博物館です。

最近では、アムステルダム博物館は、自らのコレクションとその歴史を再定義することもし始めました。アムステルダムそしてオランダといえば、レンブラントが活躍した17世紀が「黄金の世紀」と呼ばれるほどに重要な時代と考えられているのですが、近年の調査を重ねた結果、この時代の植民地政策、貧困、戦争、強制労働、人身売買といったネガティブな側面も注目されるようになりました。それをふまえて、アムステルダム博物館は「黄金の世紀」という用語を使わない、と宣言するようになりました。

自分たちが自慢したくなる時代に対して、このような冷徹な調査をし、メッセージを発する、というこの博物館の活動は注目すべきですね。

「敵の視点」を紹介する余裕

中野　見せにくいものを敢えて見せる、これは、都合のわるいものはなかったことにしようという日本のあり方と対照的で面白いです。

それで思い出したのですが、フランス留学中にノルマンディーに行ったんです。そこに個人経営の小さなミュゼ（ミュージアム）がいくつかあって、その中に一つ、ドイツ側の視点からの展示をしているミュゼがありました。フランスにあるのにドイツ側の視点からノルマンディー上陸作戦を見た美術館というのが面白かった。

よくこのようなテーマのものをこの場所に建てられるなと思ったんです。ああ、ケンカし慣れている国は違うなあと感心しました。フランス人にしてみれば、嫌な気持ちになるかもしれないけれど、でも、こういうのも受け入れてやってるぜという、懐の深さを見せつけようぜ、みたいな感じがしました。韓国に「大日本帝国」をテーマにしたミュージアムがあるようなものでしょうから、受け入れるのには心的負担がかなり大きいとは思うのですが。

熊澤　そういうことかもしれません。国のキャラクターが、博物館にとってヤバめのもの、扱いにくいもの、ちょっと逡巡してしまうものもあるんですよ。そのなかには、たとえばナチスの側に立った博物館資料もあり得るわけです。

これとは対照的に、日本では、見たくない、見せたくない、という資料を巡っては様々な問題が起きています。大阪市にリバティおおさか（公益財団法人大阪人権博物館）という施設があります。いや、ありました、というべきでしょうか。これは「大阪における同和問題を中心とする人権問題に関する資料を収集保存することで、学ぶことによって広く人権意識の啓発の場として活用していく」という、大阪のみならず日本の歴史全体から見ても重要な場所です。

人権問題に関連するものとして、従軍慰安婦関係の展示もあるのですが、当時の自治体のトップから、その資料は好ましくない、という意見が出ました。人権博物館と自治体は対立することになったのですが、自治体側は、「施設の賃料を支払え」というプレッシャーをかけたのです。

公的な施設である博物館であるにもかかわらず、その大本である設置者側が元栓を閉めるようなことが行われたわけで、２０１３年から自主運営せざるを得なくなり、２０２０年６月１日から休館することになってしまいました。再開館を目指して活動中とのことなので、うまくいくことを祈るばかりなのですが、いずれにせよこの対立からの休館という流れは、厳しい事態と言わざるを得ません。

これはあくまで「為政者」つまり「上からの圧力」との戦い、ということになりますが、ミュージアムの活動に様々なクレームがつくことはしばしば起きます。一般の人々からすると見たくないもの、見せたくないもの、というのはあるかもしれません。だから、そういう方々にむけての配慮は必要かと思います。ただ、そういったことも含めて私たちは歴史の流れのなかにいる、ということは思い出さなければならないですね。

中野　外には出しにくいけれど、なかったことにはできない——そういったものも、ミュージアムは所蔵しておく役割があるんですね。

熊澤　さらに言うと、それは博物館に勤めている人間全員が百パーセントわかっているわけでもない。「展示できない地図がうちの蔵には眠っているらしい」といった伝承というか、噂だけが残っていたりするんです。

大量殺人犯の作品の展覧会

中野　銀座ヴァニラ画廊で、「シリアルキラー展」を時々やっていますよね。職業はアウトサイダー・キュレーターという櫛野展正さん（1976〜）が、少年を33人もレイプして殺した男、13人を無差別に殺した男など、実在のアメリカの死刑囚が描いた絵や手紙を収集して展示しています。

これも際どいですよね。櫛野さんは、こういうコレクションをすること自体を批判されると話しています。普通は気持ち悪いから見たくない、捨てたいと思うものかもしれないけれど、資料としての価値は低くないと思いますし、大変重要なものですね。殺人鬼の認知の傾向が見えたり、審美的にも面白かったりしますが、シリアルキラーである、死刑囚であるというだけでこれらの作品を排除すべきであると考え、存在してはならないと主張する人たちもいる。そこの折り合いがなかなか難しいですね。

熊澤　２００年前のシリアルキラーの絵画や資料であれば、被害者の遺族や関係者も既に亡くなり、あるいは記憶が途切れていたりするので、ああ、こんなことあったんだなと言えるでしょうが、これは生々しいにも程がありますからね。

「シリアルキラー展」は若干、ゲリラっぽい特徴があるんですけれども、大枠でいうとエンターテインメントに分類されるのかな。ギャラリーやフェアーには、そういうことで人々の関心を集める役割もあるのではないかと思います。ミュージアム、特に公立系ミュージアム、あるいは公的な場所で展覧会をやるときは、こういう意味で公共に向けた存在であること、展示されているものも「パブリックなもの」である、と

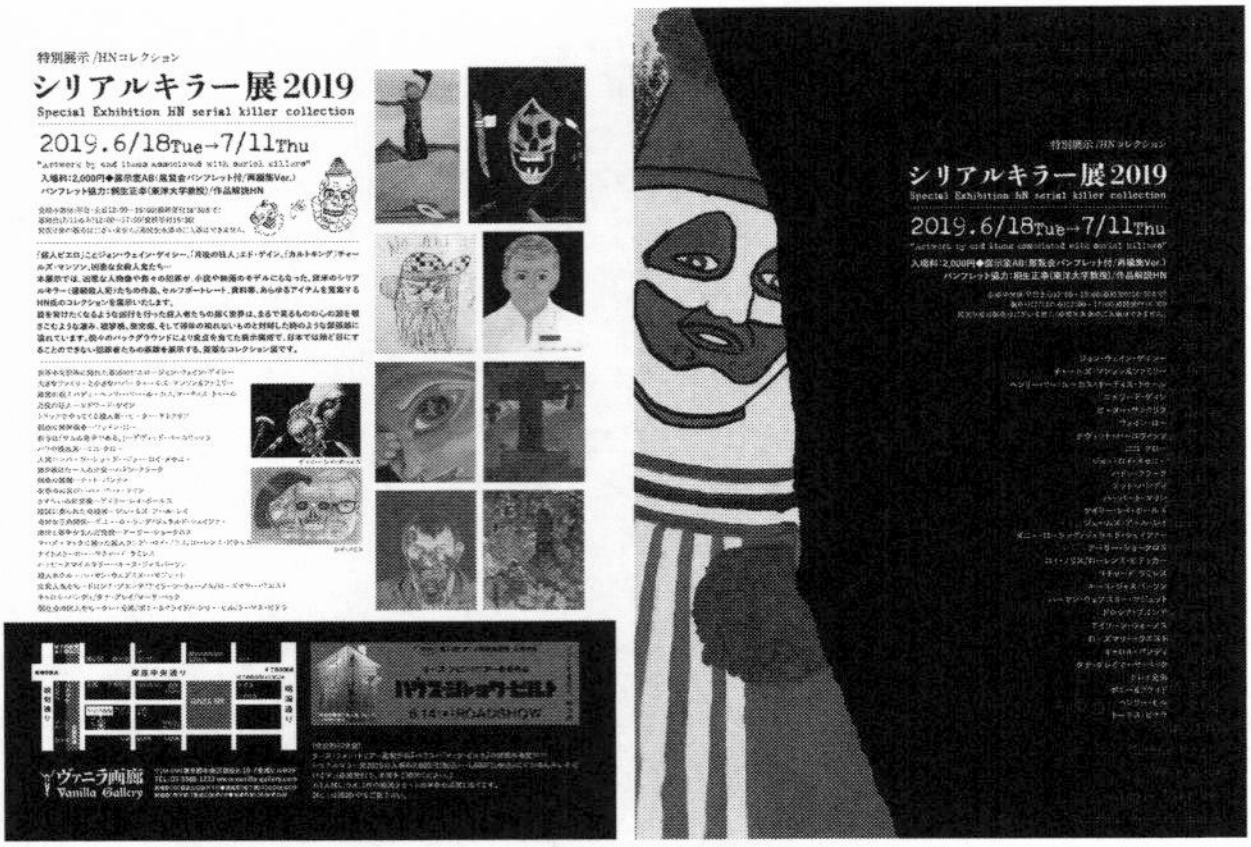

ヴァニラ画廊「シリアルキラー展2019」の案内チラシ

いうことを示すことが求められると思います。

公共的というのは、市民・住民のためのもの、ひいては人類のためのもの、ということとつながります。そして公立のミュージアムに入っているコレクション、そこでの活動には公共性がある、ということは言えると思います。絵画であれば、それが性的な内容であれ、一部の人には気味の悪い表現であれ、「これは○○という画家の多様性を紹介する豊かな資料である」「多くの人がここからなにかしら学んだり考えたりすることができる」という点が強調されることになるでしょう。ただ単に、「どう？　すごいでしょ！」と紹介しているわけではなくて、こういうつながりがある、こういう歴史的・文化的文脈のなかにある、ということで展示されているはずです。

目に見えない価値を与える機構

熊澤　また、ミュージアムはある意味、コレクションにさらなる価値を与える場でもあります。○○という作家の××という作品は、△△美術館が獲得したことによってより美術史的価値が高まる、ということもあるでしょう。だから、大英博物館に収蔵された、あるいはニューヨーク近代美術館に収蔵されたことがあるとすると、作品の価値をより高める可能性すらある。作品が権力を持つことになるんですよ。

すでに述べたクールベの《世界の起源》も、公的な場所で展示されることで「権力」を持った、と言えるのではないかな。世が世なら、「なんだこれは！」と捨てられかねない。でも、それがオルセー美術館に行くと見られるわけです。

中野　「ヤバい」ものにも権威づけできる場所なんですね。それを国家ぐるみでやっているのはフランスでしょうね。国家予算に占める文化関連予算の割合の高さは、他国の追随を許しません。

レンブラントの《夜警》

熊澤　そうですね。フランスは中央集権主義的なミュージアム戦略を旨としています。国家による文化・芸術の推進を目指していて、この政策の核として、ミュージアムが機能している部分はある。個々別々にミュージアムには特色はありますが、政策の軸には国家としての強い戦略があり、その中心に、ルーヴル美術館などが位置づけられている、というわけです。
中野　映画もそうですね。自分たちが海外の人に賞を与えて、バジェットも与えて、この映画はすごいのだと持ち上げる。その上で、そんなすごい映画を選んだ我々はすごい目利きだろう、とアピールするのです。その結果何が起きるかというと、賞を与える側のブランド力を高めることができる……というわけです。

熊澤　他の国でも同様ですね。17世紀オランダの画家レンブラントの《夜警》はオランダ美術の中心的存在をなす作品です。なぜそうなったか。

それは、描かれた当初から重要な作品と考えられてきた歴史があるから、という側面はあるにせよ、アムステルダム国立美術館というオランダで一番大きな美術館の中心をなす「栄誉の間」に飾られている、という現実もあるからです。

そもそも、アムステルダム国立美術館の基本設計のなかに、《夜警》を中心に据える、ということはあったのですが、これによってますます、《夜警》は重要な作品と見られるようになっているとも言えます。いわば、神殿の一番尊い場所に据えられている絵であり、国を代表する絵となっているのです。

中野　精神的価値ないしは、そういう目に見えない価値を与える機構として機能しているというところが、ミュージアムの持つ静かだけれど大きな影響力の源泉となるポイントなんですね。

モネの《睡蓮―柳の反映》

まさに「お蔵入り」

熊澤　余談ですが、蔵が深くなることで起こることをもう一つ、章の終わりにお話ししましょう。2016年にルーヴル美術館でクロード・モネ（1840～1926）の《睡蓮》が発見されました。もともとあったはずなのに「発見」といわれる理由は、先にお話ししたとおりです。

モネが描いた《睡蓮》は200点以上あり、これは《睡蓮―柳の反映》という199・4×424・4cmの大作ですが、上半分がありません。これが調査の結果、松方コレクションの一点だったことが確認されたのです。この作品は松方家に戻り、その後、東京の国立西洋美術館へと移りました。

第1章で、日本の国立西洋美術館は松方コレクションがベースになっているとお話ししましたが、松方幸次郎は第1次世界大戦の前後に、日本に西洋美術を紹介したいという思いからヨーロッパに行って、ゴーギャン、セザンヌ、ゴッホ、ロダンなど片端から買い漁っていたのです。この《睡蓮―柳の反映》は、モネ本人から直接購入したものと考えられています。

《睡蓮―柳の反映》の上半分はどうしたのか。おそらく巻いて保管されてあったでしょうから、わからなくなってしまったのかもしれません。ルーヴルで発見されるのを待っているのか？　このように、コレクションが盗難でもないのに行方不明になることは、ありえるのです。我々はこのような状態を「見えず」とか言ったりします。

ミュージアムはコレクションを拡充させる場なわけですから、収蔵したい資料があればそれは欲しいのですが、その結果倉庫には大量の作品・資料が入ってしまいます。その物量は膨大ですから、展示はしない／できない作品も多くあります。

ですから、よく「これは博物館行き」という言い方をしますが、それは「博物館に入れるべき貴重な資料」という意味ではなく、「博物館に入れたきり、放っておかれるもの」という意味なんです。

中野　まさに「お蔵入り」という言葉そのままですね。

MUSEUM COLUMN

原爆投下――同じモノでも収蔵・展示の違いで意味は変わる

ミュージアムが所蔵する博物館資料には、複製や模型などのおかげで、同形状のものが複数の館のコレクションになる場合があります。それらは同じもののはずですが、それを収蔵し、展示する場所によって、異なる意義を持つものとして扱われることがあります。

それを実感させられるのは、２０１９年４月に本館がリニューアルした広島平和記念資料館にある、「リトルボーイ」の展示です。

「広島・長崎に投下された原爆」と題されたセクションには、この原子爆弾を再現した展示物があります。ここでは、この甚大な被害を与えた原子爆弾にかかわる情報が、展示物や映像などを駆使して可能な限り提示されています。つとめて冷静に提示されるこの情報は、その冷静さゆえにとても圧力の強いものです。はじめてこれをご覧になると、多くの方々はショックを受けるかもしれません。

ただ、これを投下した側であるアメリカではどうでしょうか。「リトルボーイ」を投下したB－29爆撃機「エノラ・ゲイ」は、スミソニアン博物館群の一つ、「国立航空宇宙博物館」で展示されています。広島平和記念資料館の場合と同様、この博物館でも展示物の情報をできるだけ冷静かつ詳細に展示しています。

それとともに博物館は、このエノラ・ゲイの重要性について、太平洋戦争を終わらせる契機となったこと、国際秩序の維持の重要性に、この爆撃機が影響を与えたこと、そして当時の航空機としての先進性、などが紹介されています。ここでは原爆の悲惨さ以上に、この時代の軍事・航空機としての重要性に注目した展示になっています。

このように、共通する要素を持った展示物でも、戦勝国と敗戦国とではその存在意義が異なるわけです。一方は「戦勝の栄光」を語り、もう一方は「敗戦の苦難」を提示することが多くなる、というのが一般的な傾向かと思います。

ここで紹介した資料は、第2章の流れに従えば、「ヤバいもの」かもしれません。それは、見方によって「ヤバいもの」でもあるし、「栄光の記録」にも「戦争の惨禍の記録」

にもなり得るのです。ただ、広島平和記念資料館でも国立航空宇宙博物館でも、原子爆弾や爆撃機について、情報をできるだけ詳細に提示し、さまざまな視点から理解できるように努力しています。

このコレクションは「ヤバいもの」なのか、なぜ「ヤバいもの」と認定されたのか、それは本当に「ヤバいもの」ということができるのか……コレクションを調査したり展示したりするときには、多様な視点からの解釈を妨げず、むしろそこからさまざまなことを考えるきっかけとなることが望ましい。ただその際には、偏った情報を提示して、鑑賞者の感情をコントロールするのではなく、その資料を出発点にさまざまなことを考える契機になることが望ましいでしょう。

（熊澤 弘）

第3章　実際に鑑賞してみる

——どんな作品をどのように観たらよいか？

初めての美術体験

中野　ミュージアムの歴史やミュージアムのヤバさについて伺ううちに、実際に私たちが見にいけるミュージアム、展覧会、作品がどんどん登場してきました。

ここからはそれらについて踏まえたうえで、ミュージアム鑑賞の実践編にまいりましょう。まず、熊澤先生のご経験を伺いたいのですが、先生がインパクトを受けたミュージアム、展覧会、あるいは作品についてお聞かせください。

熊澤　小学生低学年のとき、初めて国立西洋美術館に行ったんです。覚えているのは常設展示の部屋で、古い時代から始まって18、19、20世紀の作品が順に展示されている。

その最後の部屋にジョアン・ミロ（1893〜1983）というスペインの画家の作品が展示されていました。大きな赤い丸とか曲線とかが描かれた抽象画で、私にはよくわかりませんし、ジョアン・ミロも知らない。でも、ミロという言葉自体がおもしろくて「みろ！　ミロ！　見ろ！」と騒いでいたようです。これが私の最初のミュージアムの記憶です。……中野さん、ひどくガッカリされたと思いますが。

中野　いえいえ、熊澤先生らしい、自由な発想と遊び心をもってごく幼い頃からミュージアムを体験されていらしたのだな、と……（笑）。江戸時代には「秀句」と言って、たとえば満月の2日後の17日ごろに出る月のことを立待月《たちまちづき》といいますよね。そこで、たちまち着くようにと、恋文を送るのは17日にするとか、そういうダジャレの素敵な習慣がありました。

秀句のうまい人は一目置かれ、秀句を教える人までいたんですよ。「ミロを見ろ」は確かにダジャレだけれども、こうした言葉遊びの能力は人間関係を円滑にする智恵として発達してきたものです。言語運用能力という意味では、実はとても大事な能力であったのです。

熊澤　私のミュージアム体験で忘れられないのは、作品そのものより、作品が置かれた空間や作品にたどり着くまでの空間なんです。

初めて一人で海外旅行に行った20歳頃のとき、前章でも述べたオランダのアムステルダム国立美術館でレンブラントの《夜警》を観ました。このときも、以前からずっと見たかった《夜警》を鑑賞できたことそのものが待望の瞬間だったのですが、レンブラントの作品とともに、長い回廊となっているギャラリー・オブ・オーナー（栄誉の間）があり、その回廊の到達点のような場所に《夜警》が展示されているという、空間設定自体にもインパクトを受けました。
いちばん奥の祭壇にいちばん重要なものが鎮座するという、神殿型のミュージアムの古風なつくり方は本当に壮観です。ルーヴル美術館のグランドギャラリーも似たような雰囲気がありますね。

感じ方が変わる

中野　熊澤先生はレンブラントに関心を持って美術の世界に入られた。『レンブラント―光と影のリアリティ』(角川文庫)というご著書もあります。関心を持たれたきっかけはどのようなことだったのですか？

熊澤　高校生のときに行った展覧会で初めてレンブラントの実物を観て、光と影によって生み出される写実表現と、描かれる人物の実在感、とでもいうのでしょうか、そういう重さに魅了されました。レンブラントはデビューが早く、当時のオランダを代表する画家として華やかな人生を送っていたのですが、代表作《夜警》を完成させたあとの後半生では、妻との死別や破産などのいざこざを抱えていました。そんな中にあっても、作品は独特の重みを持っています。この画家が生み出した《夜警》を観たくて、彼がいたオランダを見たくて、初めての海外旅行でオランダに向かったのです。オランダには20世紀に活躍した抽象主義の画家ピート・モンドリアン（1872〜1944）の世界最大級のコレクションを有するハーグ市美術館（Kunstmuseun Den Haag）というミュージアムもあります。この建物の空間もインパクトが大きかったです。オランダの建築家ベルラーヘが設計し、1935年にオープンした建築です。建物のタイルや構造が、縦1対横2、という割合でつくられている外観は見事です。

この空間に展示されたモンドリアンは、それまでにないほど心に響いてきました。建物の空間と空間の中にある作品のバランスの良さは見事でした。

私は現代美術自体は得意ではないのですが、このモンドリアンの展示は、非常に腑に落ちる感覚があり、とても楽しかったです。ハーグといえばフェルメールの《デルフトの眺望》や《真珠の耳飾りの少

ハーグ市美術館

女》が有名なマウリッツハイス美術館がまず思い出されるでしょうが、ハーグ市美術館のモンドリアンを観にいくためだけにハーグを訪れる、というのはありですね。

ただ、最初からこの空間が最高だと思ったわけではないんです。後になってから、年齢を経て、ああ、いいなあと思えるようになった。**時間をかけて楽しむ、感じ方が変わる**というのも、アート鑑賞の面白いところだと思います。

自分の中で化学反応が起こる

中野　後になって感じ方が変わるといえば、最近こんな体験をしました。国立新美術館にフランスの現代アーティストのクリスチャン・ボルタンスキーの展覧会を観にいったとき、《咳をする男》という映像作品がまず最初に展示されていたんです。

これが、一人ぼっちの男が血ヘドを吐きながら激しく咳をする、その様子がずっと流れるだけという作品で、もう観ている私のほうが苦しくなりました。どうして真っ先にこんな映像を展示してみせるのだろうと不快にさえなったんですが、それから半年後の新型コロナウイルス感染症の流行に遭って、私自身も少し風邪気味なだけでPCR検査を受けることになり、あの男の苦しい咳がやたらと思い出されたんです。

ボルタンスキーは「死」を主題としていて、日本語で「来世」の文字を浮かび上がらせた作品が展示の最後に配されていました。今にして思えばなんとも予言的であったと、背筋に冷たいものを感じました。自分の考え過ぎかな、とも思いましたが、やはり世界的にファンのいる作家ですし、ユダヤ的な神秘性もその作品にはたしかにあるんです。人知を超えた不思議な魔力としか言いようのない作家の洞察力を見せつけられたように思い、深淵を覗き込むような慄然とした思いに駆られました。

アートを鑑賞すると、こういうことはよく経験します。

熊澤　すごい体験ですね。

中野　ミュージアムに何かを観にいくと、知らず知らずのうちに自分のなかで化学反応が起こることがあります。**明日の私は変わらないかもしれない。でも、3年後、10年後の私のために観にいく**という、ミュージアムにはそんな楽しみ方がありますね。

私はパリのポンピドゥーセンターが、自分にとって捉え方の変わる契機となったミュージアムです。ここでサイ・トゥオンブリー（1928～2011）を初めて観たのですが、でもトゥオンブリーって、そのよさをうまく伝えられないんですよ。

熊澤　おっしゃいたいことはわかります。

中野　黒板に落書きしたみたいな絵と評されるんですけど、言語化できないものを画面に非常にリリカルに表現していて、こういうことができる人がいるんだと、心を動かされました。それまではあまり現代美術には関心がなかったのですが、このとき初めて強い感情の生起を覚えました。アーティストの仕事とはこうなのだ、と納得した。現代美術に関わる人たちに敬意を抱きました。

ポンピドゥーセンターそのものも言ってみればその見た目はキッチュですね。パリの古い街の中にあって、パイプとプラスチックでできているような、非常に挑戦的な形をしています。あれをパリジャン自身が好きかと言えば、賛否両論分かれるでしょう。不格好だ、好きじゃないという人もいます。

熊澤　私が初めてポンピドゥーセンターに行ったのは20代前半のときでしたが、圧倒はされましたが、ピンと来るものがなかった。文字通り、分かっていなかった、という感じでした。けれども、ある時期からとても楽しめる、印象深い場所になりました。それは私自身がそういう世界に多少慣れてきたということと、やはり、ポンピドゥーだからというのはあると思います。

そういう場所がアムステルダムにもあります。それはステデリック・ミュージアム

パリのポンピドゥーセンター

サイ・トゥオンブリーの作品展示

（アムステルダム市立美術館）で、愛称がバスタブ。もともとは、アムステルダム国立美術館よりも早く、１８７４年に設立されたこの美術館は、１８９５年に現在のレンガ造りの伝統的な外観の建築物に移りました。２０１２年に改築されたとき、伝統的な様式の建築に、まるでバスタブが建物の上にのったかのような、きわめて独創的かつモダンな建築物としてリニューアルされました。

ここは、モンドリアンの重要な作品があるだけでなく、カジミール・マレーヴィチ（１８７９〜１９３５）というロシアの構成主義の画家のコレクションも有名です。ステデリックとハーグ市美術館の二つの美術館は、オランダの近現代美術の二大巨頭で、訪れる価値はありますよ。

ミュージアムとギャラリー

中野　「アートをやる人はみんな反体制なんじゃないの？」というようなやや偏った社会通念がありますよね。

特に現代アートをやる人は、既存の概念を破ったところに面白さを感じるという形で作品を作る人も多いですし、そもそもこういった「概念の転換」をアートとする考え方

アムステルダム市立美術館

の作家もいますから、そう一括りに見られてしまうのも仕方がない一面があるとも思います。しかし、そういう一元的な見方で終わってしまうようであれば、日本はそんな国だったかしらと残念に思うところでもあります。

現代アートの定義は、一般的には、マルセル・デュシャン（1887〜1968）以降のイメージです。便器そのものを作品にした《泉》を発表したのが1917年で、「現代アートの父」と呼ばれました。

熊澤 デュシャンの《泉》は、この年の第1回アメリカ独立美術家協会展に出品しようとするも拒否されたものです。この展覧会の理事でもあったデュシャンは、抗議のために理事を辞任し、実物は失われてしまったとのことです。この事件はインパクトがとても大きく、既存の芸術概念や制度そのものを問う契機である、と考える方が多いと思います。

もちろん、「便器がアート？」というインパクトがあまりに強すぎたために、この事件が異様に目立つ点も見逃せません。実際、東京国立博物館でかつて行われた「マルセル・デュシャンと日本美術」展でも、このインパクトを中心にすえた構成になっていました（ただ、この展覧会のやり方が正解だったかどうかは分かりませんが……）。

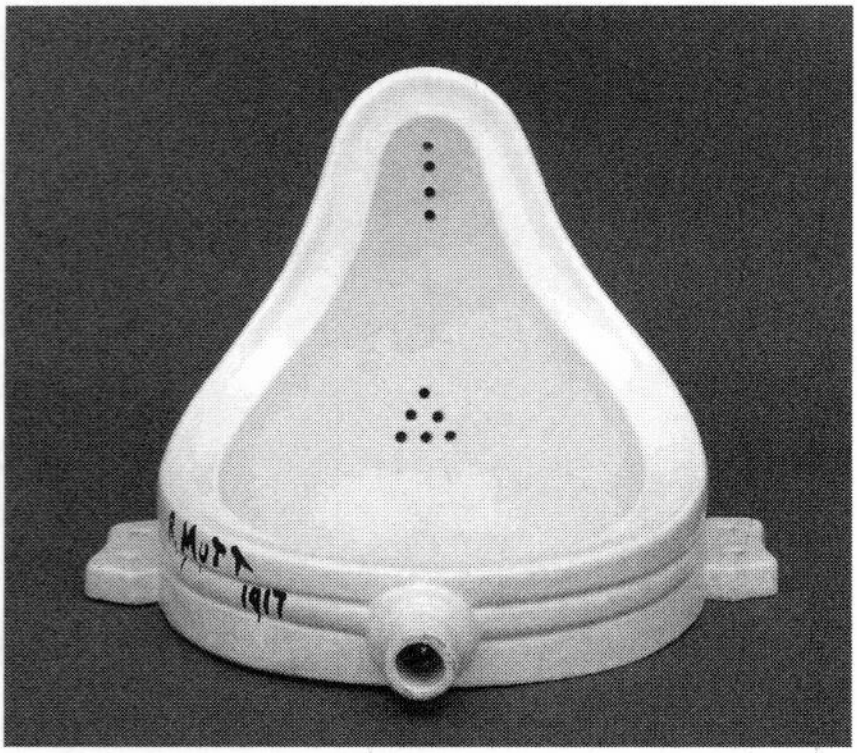

マルセル・デュシャンの《泉》

このデュシャンの事件が起きるきっかけとなったのは「展覧会」です。これは、芸術家が自らの手で生み出した作品を展示する場で起きたことです。展示というと、古今東西の珍品を網羅するように展示したヴンダーカンマーで、そのコレクションを示すことをご紹介しましたが、美術品を収集したコレクターが、自身の部屋や書斎、回廊に美術品を飾るものもあります。

このようなコレクションを展示する空間は、「ギャラリー」と呼ばれます。ミュージアムは、絵画等の芸術作品であれ、恐竜の化石であれ、戦争遺品であれ、博物館資料を保存・管理する「収蔵」を基本とした施設であることをご説明してきました。この一方で、この博物館資料を公開する場所としての展示室もあります。それとともに、美術作品などを展示するための「展示室」もあります。それを、「ギャラリー」と言うべきでしょうか。

中野　現代日本では、作品を売り買いする場所のことをギャラリーと呼ぶような、術語の転用が起こりつつありますね。近代以前と現代以降の作品を扱う人々の間にやや距離があるともいえる。展示をするときの意識の差異にも注目してみると面白そうです。

熊澤　芸術家が自らの作品を見てもらうために開くのも展覧会です。「美術展覧会」といったほうがいいですね。美術作品を発表する場は以前からあるとはいえ、作家の発表の場として美術展覧会が重要になっていったのは、18世紀から19世紀頃、フランスではパリのフランス王立絵画彫刻アカデミーが主催する「サロン」、イギリスでは、王立の美術学校であるロイヤル・アカデミーでの年次展覧会などが、新作の発表の場となりました。

それは、主催者にとってはその時代を代表する美術作品を紹介する場であり、作家にとってはプロモーションになる場であり、画商たちにとっても有望な作家を見つける場となりました。

とはいえ、このようなオフィシャルな団体が主催する展覧会の意にそぐわない作品、そして作家もいました。このような大規模団体とは別に、個別のグループの展覧会、あるいは、一人の芸術家のための個展というのも開かれるようになります。

それが、1863年、パリのサロン展に落選した人々の作品をあつめた「落選者展」。そして、《世界の起源》の作者であるクールベが、1855年のサロン展――これは、同じ年のパリ万国博覧会に吸収合併されたのですが――で落選したことをきっかけに、落選した作品を含めた個展を開催したりもしています。

こうご紹介してみると、展覧会で自らの作品を発表するときには、注目を集め称賛されるということもあるでしょうが、同時にスキャンダルを巻き起こす、「炎上する」ことも起きるのだと分かります。作者がこういう意図で制作した、と説明しても、展示空間で多くの人の前で展示する以上、その意図を通り越えた、あるいは無視した理解をされる可能性もありますね。

公立の美術館でも、その美術館が許容する、規制などにぎりぎり抵触しない、際どい表現を伴った作品の展示をすることもあります。美術館の中では無理なので外に出て見せるものもあるわけです。ギャラリーは、様々な思惑が交錯する、生々しい場であることは間違いありませんね。

ミュージアムの面白い取り組み

中野　近年、バーチャルツアーのようなことができるミュージアムはけっこう見かけますが、「あなただったらどう展示しますか？」というミュージアムの企画があってもいいなと思うんです。

パリのギメ東洋美術館に行って驚いたのは、仏像が年代や様式に関係なく展示されていたことです。あくまでも作品として審美的な観点から並べるというやり方であって、日本の美術の教科書的な並べ方ではなかったことが私としては新鮮で面白かった。こういうキュレーションの面白さに着目して展示を観るのもいいと思います。

熊澤　私ならこう料理してやるわ、みたいな。

パリのギメ東洋美術館

中野　キュレーション専攻の学生さんと展示を見にいくと楽しいですよ。いろいろな料理法を、それぞれが考えているんです。粗削りではあっても、やはり東京藝大の学生だけあって、皆、光るものがあります。いい展示ほど刺激的で、いろいろ思うことが出てきますよね、自分だったらこうしてみたいなとか。たとえば、脳はこのアートにはこんな反応をする、というような視点を展示にとり入れるのもいいかなと思ったりします。

いろいろ面白い取り組みをしているミュージアムも増えてきましたね。箱根仙石原のポーラ美術館は近代美術が得意なのですが、2019年は「シンコペーション：世紀の巨匠たちと現代アート」という、モネ、セザンヌ、ピカソなど世界の巨匠の作品と現代美術を組み合わせて展示するという挑戦的な展覧会をやっていました。

やや評価は分かれるかも、というところもないではないのですが、巨匠の作品と現代の作品とを対比することによって面白味が増している部屋もあって、料理にたとえると言ってみればカリフォルニア巻のような雰囲気でしょうか。それはそれで面白いものでした。美術館の森の中に中国の現代アーティスト艾未未《アイウェイウェイ》（1957〜）の彫刻がポンと置いてあったり、音の彫刻のようなのもあったりして、行けば相応の楽しさがあります。

熊澤　シンコペーション展は、作品をたとえばモネ側から見るか、現代作家側から見るかで感じ方が違うはずです。その違いを楽しむといいですね。多くの場合、現代アートの作家は、自分の作品はどういう美術の流れのどういうポジションにいるかを明確に示します。

現代美術家として日本を代表する村上隆（1962〜）は、江戸時代の奇想の美術とのつながりで自身の芸術作品を提示していますよね。アニメやドラえもんを題材にしながら、自分の立ち位置を見せたりして、過去の芸術的な遺産と向かい合いながら、それを自らのものとして取り込んで見せる。……なんと言ったらいいかな、過去の偉大なものと向かい合う姿って、美術の世界とは全然違うのですが、マイケル・ジャクソンがフレッド・アステアのステップと自分のムーンウォークは関連があるんだというような。

中野 類似するものを並列して展示し、関連性を仄めかして連想させる、テクニカルなキュレーションの手法ですね。

熊澤 マイケル・ジャクソンには、自分がフレッド・アステアの後継者である意識が明確にありました。単に面白そうだから作りました、というだけでなく、自分の存在を過去の存在とつなげて見せている点にも目を向けると面白いのでは、と思います。

中村キース・ヘリング美術館の感性

中野 ストリートアート出身のキース・ヘリング（1958〜90）は、ロゴとしてよくバッグや帽子、Tシャツにデザインされているし、最近はクルマのコマーシャルにも使われているのでお馴染みだと思いますが、そういうものではなく、作品として見せることにこだわっている美術館が山梨県北杜市にあります。

中村和男さんという医薬品の開発支援をする企業の社長が建てた中村キース・ヘリング美術館です。中村さんは薬学の世界では非常に有名なメバロチン（高脂血症治療薬）という、珍しい日本発の新薬の開発プロジェクトを担当されていた方です。当該分野の人なら知らない方はいないお薬です。

中村キース・ヘリング美術館

近代以前の美術と比べるとあまりにもポップで現代的な彼の作品をいち早く80年代から日本人がコレクションして、世界唯一のキース・ヘリングの美術館にまでしてしまったというのが面白いですね。

中村さんにお会いする機会に恵まれたときに伺ってみましたら、「サイエンスとアートはなじみがよく、ゼロからイチを創造するのが共通点だ」とおっしゃいます。ご自身の感性とプロデュース力にたいへん自信をお持ちで、実際に業績として形に残されるのがすごい。

美術館の外形も曲線と直線が入り交じって90度の角が一つもないという設計です。自分の好きな作品を収集して、価値を高めて、素敵な所蔵の仕方をしている。それをまず、私はうらやましいと思いました。

個人が創設した美術館は、いいところがほかにもたくさんあります。茂木本家美術館はキッコーマンの12代目茂木七左衛門さんが収集していた浮世絵が展示されていいます。最寄りの東武アーバンパークライン（東武野田線）の野田市駅で降りると、醬油の香りがするので知られている場所ですね。

私はここで刷りの良い版の広重を観ることができたのが良かった。横山大観（1868〜1958）、梅原龍三郎（1888〜1986）、小倉遊亀《ゆき》（1895〜2000）、片岡球子（1905〜2008）などの展示もあります。

吉野石膏《せっこう》のコレクションもよく引き合いに出されていますね。ユトリロ、マティス、ミレー、ルノワール、北斎などで、独自の美術館は持たず、石膏の鉱山があった山形県の山形美術館と天童市美術館に作品の展示を寄託するというやり方で地域に貢献しています。

言及するまでもないほど有名ですが、瀬戸内海の直島《なおしま》には、ベネッセの福武總一郎

直島の地中美術館　（写真：大沢誠一）

さんが創設した地中美術館があります。その名のとおり展示室は地中にあり、ここはモネの《睡蓮》、アメリカの彫刻家ウォルター・デ・マリア（1935〜2013）の作品、アメリカの現代美術家ジェームズ・タレル（1943〜）の作品だけが展示されています。自然の空を作品に取り入れてしまったものもあって驚かされます。チケットのオンライン予約が必要で、つまり、チケットが取れれば混雑の心配がなくゆっくり鑑賞できるわけです。

金沢21世紀美術館の賢さ

中野　本年（2020年）は金沢市に国立近代美術館の工芸館が移転しましたが、金沢

金沢21世紀美術館

にはそれに先駆けて金沢21世紀美術館という事蹟があります。ややクローズドな、美術館がそれ自体で完結するというスタイルではありません。美術館の設計はＳＡＮＡＡの妹島《せじま》和世さんと西沢立衛《りゅうえ》さんですが、建物を丸くとりかこむようにしてガラス張りの廊下を設け、「現代アートを鑑賞する人」を、市民に向けて展示してみせたのです。

　これが奏功したと長谷川祐子先生（東京藝術大学大学院教授）は分析されていました。要するに、現代アートに関心をもって見に来る人たちのカッコよさを利用してレバレッジをかけたわけですね。ブランディングとして賢いやり方だな、と勉強になりました。

熊澤　伊豆下田にある上原美術館のコレクションは、大正製薬の名誉会長の上原昭二さんのコレクションが寄贈されたものですが、モネから直接購入されたものなど、驚くほどいいものが揃っています。

上原さんをはじめ、中村さんも茂木さんも、美術館をご自分の出身地に建てられていますね。故郷に貢献したいという気持ちが表れています。

上原美術館の西洋絵画、洋画、日本画、そして仏像のコレクションはとても有名です。個人的には、クロード・モネの《雪中の家とコルサース山》（1895年）に注目していただきたいです。ノルウェーのコルサース山の雪景色を描いている作品で、表現そのものも面白いのですが、この作品はかつて、日本人の黒木三次《さんじ》伯爵と妻の竹子が、モネのジヴェルニーの自邸を訪れ、直接入手した作品なのです。

このようなコレクションはいずれも個人、あるいは企業コレクションをベースとしたものです。先ほどお話しされた吉野石膏についても、西洋美術・日本美術ともに素晴らしいクオリティーのものです。

こういう活動をしている方々がいることはとても心強いですね。

モネの《雪中の家とコルサース山》（上原美術館）

コレクションが売却されないように

中野　事業で成功し、豊富な資金を得た後に、何にそれを使うかというところには、その人の人となりがかなり表れると思いますが、美術館につぎ込むというのは世代を超えて受け継がれていきます。ウフィツィ美術館のメディチ家歴代のコレクションはその最たるものでしょう。日本でもアートを購入する気運が高まり、うれしいことです。

熊澤　とはいえ残念ながら、母体となる会社が経営的に危なくなってくると、背に腹は代えられず、絵画が売却されてしまったという例もあるんですよ。

中野　コレクションが売却され散逸してしまう。なんともったいない……。

熊澤　あの有名な絵画はあの人が持っているはずなのに、貸し出してもらうことができないようだ、どうしちゃったんだろうということがよく起こります。その個人の資産状況によって見えなくなる。つまり売られてしまっているんです。

その意味では、目下、個人的にとても気になっているのは、前澤友作さんが123億円で落札したバスキアです。ものすごくお金をかける宇宙旅行計画がどうなるのか、大変心配しています。

かつて川崎造船所社長の松方幸次郎でさえ、世界恐慌に遭って美術館の建設を断念し、コレクションも手放したわけですから、大規模・中規模の美術館を個人で経営するのは並大抵のことではないです。

第2章でお話ししたとおり、芸術作品は、個人所有、あるいは会社などの所有物であれば法的には売却可能な資産です。それはよく分かっているのですが、芸術作品そのものには、過去の文化と歴史にひもづけられる「公共性」があります。だから、ぞんざいに扱われたり、「見えなくなる」ことがあるのは残念です。

このような状況を回避するため、コレクションを保有する組織を公益財団法人にして、コレクションは公益財産とすることもあります。みんなにとって重要なものだという位置づけが明確にされると、財産として差し押さえられ、自由に売却される、という事態を回避できるかと思います。

ルーヴル美術館で遭難しかける

中野　前章で、ミュージアムの経営はその維持だけでも大変だということ、その理由も伺いましたが、私が高校生のときに行った「バーンズ・コレクション展」は来場者が殺到し、図録も飛ぶように売れていました。

その光景は衝撃的で今でも目に焼き付いていて、上野公園を雨の日に歩くたびに思い出します。大人になってから、ああいう展覧会はさぞ儲かるのだろうと思うようになりましたが(笑)。

熊澤　東京国立博物館、国立西洋美術館、東京都美術館、あるいは森美術館などでは大行列をなす展覧会というのが時々あります。このような大規模な展覧会というのは、ミュージアム単体ではできないんです。様々なプロフェッショナルとともに時間をかけて準備をしてゆくのです。

たとえば作品輸送は、美術品輸送専門の会社があります。日本通運やヤマトロジスティクスが有名ですが、美術作品の輸送・梱包のエキスパートがいます。学芸員は彼らとともに、作品や資料を一点一点、梱包したり、トラックで輸送したり、そして展覧会会場で丁寧に展示作業を行います。

当然ながら時間も費用もものすごくかかりますし、保険にも入らなければいけません。それ以外にも、会場を美しく作り込む——施工という言い方をします——プロフェッショナルもいますし、展覧会を一般の方々に向けて告知する、広報のプロもいます。

問題となるのは経費です。このような輸送費、会場施工費をはじめとする様々な経費、そして保険の支払いや様々な手数料の支払いなどを全てあわせると、ものによっては億単位のお金がかかるのです。このような金額を、美術館・博物館単体では捻出できない。ですから、大規模展覧会では、その経費の大半を共催者が支払うことになる。それは、新聞社やテレビ局でイベントなどを担当する「事業部」と呼ばれる場所です。新聞社やテレビ局がメインになって企画をマネジメントして、美術館と一緒に展覧会を行う、ということもあります。

大きな予算で広告も派手に打って、大きな収入を得る。そういう展覧会を「ブロックバスター」という言い方をします。ヨーロッパでも、2019年ではレオナルド・

ダ・ヴィンチ展、ラファエロ展、クリムト展などの有名なアーティストの大規模展が開催されていますが、大量の人々を集めるために、経費も大規模な展覧会に、人々が大行列をする、というのが、人気の展覧会でよく見られますね。

日本人の作家でブロックバスターの定番といえば、何といっても草間彌生（１９２９〜）ですね。

台湾の国立故宮博物院、韓国の国立中央博物館、中国北京の故宮博物院などは、観光業とも連動していてお客さんが集まることが常態化していました。

もちろん、ルーヴル美術館、メトロポリタンミュージアム、大英博物館などは観光地となっていて、それぞれ年間７４０万人、７００万人、６４２万人も入る。ということは、ルーヴルは一日当たり2万人以上が入場していたのです（数字は英“The Art Newspaper”調べ、２０１６年）。

中野　ルーヴルは入場後にも、著名な絵画の前では行列になっていますものね。

熊澤　そして《モナ・リザ》を観たとき、「わっ、思っていたよりもずっと小さい！」とびっくりしますよね。

中野　確かに（笑）。

熊澤　ルーヴルのグランドギャラリーでは、教科書や美術本に出てくる超有名な絵が所狭しとばかりに登場する。ですからルーヴルは毎回、すごく疲れます。一点一点を見るだけでも充実した鑑賞体験なのに、それがまるで果てしなく続くような錯覚を覚えます。覚悟して出かけましょう。

中野　私なんか一回、遭難するかと思ったことがあるんですよ。ルーヴルは広すぎて、食べ物にもたどりつけず、あまりにも疲れて、もう歩けない、ここから一歩も動けないという状態になって、自分が展示品のようなミイラになるかと思いました（笑）。

あの広い空間、おびただしい展示品たちに、なんだか自分が吸い取られてしまいそうな感じがしますよね。

大英博物館の彫刻は漂白されている

熊澤　大英博物館の裏話もしておきましょう。実は、大英博物館の古代ギリシアの彫刻、古代ローマの彫刻は、これまでに漂白されています。

中野　ええっ。

熊澤　もともと、古代ギリシアの彫刻群は極彩色で塗られているもので、真っ白な大

キリストのフレスコ画（左から、元の画、傷んだ画、「修復」された画）

理石の彫像、というわけではありませんでした。しかし、その色が取れてきたものもあることに加えて、「鑑賞するみなさんが彫刻らしいと思うのは、もっと白い彫刻ですよね。だったら表面をきれいにしておこう」と言って、漂白してしまった。

現象だけ見ると、これは明らかな文化財破壊ということになります。「古代ギリシア文明＝白い大理石」という固定化したイメージを維持するための行為でしょう。私自身も、想定復元として知られる極彩色のギリシア彫刻を見ると、受け付けがたい何かを感じてしまいます。現地で鑑賞するときは、本来はこんなに白くないのだ、という前提を頭に入れながらお楽しみください。

中野　彫刻は審美的にきれいになっているからまだいいのかもしれませんが、スペインでは時々とんでもない「修復」が発覚しますね。

教会の木彫のマリア像をピンクに塗ってしまったり、１００年前のキリストのフレスコ画をユーモラスな丸い顔に描き直してしまったり……。

熊澤　あのフレスコ画は言葉は悪いですが良いサンプルです。今も授業で修復前・修復後の画像を見せると、ドカンドカンと大ウケするテッパンネタです。後学のためにぜひ、実物を拝見しにいきたい。

地方のミュージアムの常設展がいい

中野　考えてみれば今の時代、ただモノを確認するだけだったらネットやデジタルデータで十分なんですよね。だけど、ミュージアムに行って、何か自分はインパクトを受けたという、そのインパクトを買いに行くというか、その体験を求めてお金を支払って入場するのだと思うんです。

熊澤　ＪＲ上野駅の公園口を降りて上野公園に向かい、国立西洋美術館の前を通ると、必ずロダンの《地獄の門》が目にはいるでしょう。これはダンテの『神曲』をモチーフとしたすばらしいブロンズのモニュメントで、もともとは松方コレクションだったものが戦時中にフランス政府に接収され、1959年に返還されたという「来歴」があります。初めて見ると相当なインパクトがあると思うのですが、入館しなくても見ることができますから見慣れてしまうこともあるわけですね。

ロダンの《地獄の門》

ミュージアムの学芸員たちは、展示室を訪れた人たちが何らかのインパクトを受けてくれたらいいなと思って様々な準備をしています。静かなインパクト、あとでじっくり来るインパクトもあるでしょうし、雷が落ちるようなインパクトを受けることもあるでしょう。

ミュージアムの側は、展示の仕方、それぞれをどういうつながりで見せるのかというようなこと――これをキュレーションといったらいいのでしょう――に腐心して、観た人が楽しめるような、インパクトを受けられることを目指しています。

このようなインパクトを与えられる機会というのが、大掛かりなイベントとしてつくられたブロックバスターと呼ばれる特別展なのかもしれません。実際、「●●が初来日！」「貴重な▲▲を公開！」という文句に、人は惹きつけられると思います。

ただ、私としてはミュージアムの基礎的な活動にも注目していただきたい。その意味では、館の所蔵品を紹介しているコレクション展・常設展はとても味わいが深く、じっくり楽しめ、学べる場所となっています。

私は東京圏で仕事をしていますが、日本各地のミュージアムはどこも素晴らしいところばかりです。その館の活動がよく見えるのがコレクション展示・常設展であり、それを推したいですね。

東京圏内には当たり前ながら数多くのミュージアムがあり、その常設展示はどこも豊かなものばかりです。東京国立博物館の総合文化展、国立西洋美術館の常設展、東京国立近代美術館のコレクション展示などが素晴らしいのは、あえて言う必要もないでしょう。また、近年リニューアルオープンしたアーティゾン美術館も、常設だけでおなかいっぱいになるレベルです。

中野　アート好きは実際、東京に住んでいるという醍醐味を肌で感じられますよね。

熊澤　東京圏の近くでいえば、山梨県立美術館には《種をまく人》《夕暮れに羊を連れ帰る羊飼い》など70点に上るミレーのコレクションがあります。ロダン館がある静岡県立美術館にも西洋・日本美術の風景をテーマとした重要な作品が数多くあります。

コレクション展示に力を入れているところでいえば、愛知県美術館を忘れるわけにはいきません。近・現代美術のコレクションが豊かであるばかりでなく、それを多様な視点で紹介している。簡単なことではありませんが、それを続けている館なのでぜひ注目していただきたいです。

この他にも、私がかつて、日本国内にある西洋絵画を国外に紹介する展覧会に関わったこともあるので挙げると、たとえばひろしま美術館のフランス近現代美術コレクションは驚異の一言です。ゴッホの最晩年の作品《ドービニーの庭》が特に有名ですが、それ以外にも一級品が多く、展示室の荘厳さとともに、インパクトの強い場所です。戦後復興の道程で、広島銀行を中心に準備され、銀行の創業100周年にあたる1978年に開館したところですね。地方公共団体の設置する美術館とは違いますが、地域を代表する美術館であることは間違いありません。

各地のミュージアムを挙げたらキリがないのですが、それぞれの地域には公立・私立の別なく良いミュージアムがあります。それらの常設展示室は、ここには何かあるぞという空気を漂わせていて、これまでの活動の蓄積が見えてくる良さがあるんです。雷を受けるというより、じんわり染み込むような感動があります。「なぜこれがあるのだろう」という視点を持ちながら鑑賞されると、より面白いと思いますよ。

常設展で「整う」

中野　常設展の良さってありますね。私がいちばん好きなのは、東京国立博物館の東洋館（アジアギャラリー）です。

雷に打たれるような刺激ではないのですが、中国の仏像があったり、優美さの極みのようなインド・ガンダーラの仏像があったり、朝鮮の陶芸をはじめとする美術品の部屋、クメールの彫刻、インドの細密画、それぞれの美しさを感じることで自分を較正（calibration）できるように思うのです。自分がどこかズレていっているようなときに行くと、ちゃんと正しい形があると感じられることにすごく安心するんです。

熊澤　それは、東洋館という場所で、東洋の美術の有り様をちゃんと体系的に見ることが出来る、と感じていらっしゃるのかしら。いま「ちゃんと」という表現を使いましたが、これは中野さんが、この空間で東洋美術の基準のようなものを感じていて、だからそこに行くと「整う」と感じられたのかな、と推測するのですが。

中野　そうなんです。それはサイエンティフィックでも何でもなく、ほぼ随想的な感覚なんですけども、現代アートに親しんでいると、いわば「整う」とは真逆の、人の心をざわつかせるようなものが優れているとされていたりもする。「美」の基準というのが行ったり来たりする。そもそも「美」はもはやアートではないと考えている人たちもいるのです。

べつにアートの領域ではなくても、ネット空間における2週間前のスタンダードと今のスタンダードは違うように日々、少しずつ基準というのは変わり続けます。そういうことに疲れてしまうときがありますよね。そんな自分をリセットしたいとき、基準の本来はここにあるよというのを示してくれるものなんです。

たとえば、宗教的な象徴が敬意をもって扱われる性質の美しさで表現されているという「一致」のあり様に安堵を覚えるのかもしれません。今日は何時間もかけて見ようと思って出かけることもあります。じっくり時間を使えて、自分をリセットできるような良さ。まるでサウナに行くような感じで、まさに「整う」という表現がぴったりです。

熊澤　なぜ「整う」と感じられたのか？　そこに基準を見いだしたのか？　と申し上げたくなるのですが、だとすると、そこにも常設展示の特徴のひとつがあると言えるかな。

欧米の主要な美術館のなかでも、１８２４年に開館したロンドンのナショナル・ギャラリーに展示される絵画は極めて豪華なものばかりですが、このコレクション展示は、王家のコレクションから発展したのではなく、ヨーロッパの絵画史を見通す場をつくるために、市民たちが持ち寄った名品をコレクションとして発展させたものだったのです。

美術の歴史を辿る展示、という意味ではかなり教育的な配慮がなされた展示といえるでしょう。この展示が示す美術の流れは、現在の私たちが考える「西洋絵画史」の原型となっています。先ほどの言い方にならえば、ナショナル・ギャラリーの展示は、「整えた」状態になっているわけです。

この状態は、逆の見方をすれば、「ナショナル・ギャラリーで展示されているから、○○の作品は西洋絵画史の『正統』と位置づけられる」とも言えるわけです。展示室に並ぶ作品が、美術史の「基準」を決めているのですから、これは相当な権力がある場とも言えますね。

大規模なミュージアムの常設展示には多かれ少なかれ、このような特徴があります。それは、日本のミュージアムでいえば、東京国立博物館の総合文化展は、ある種の「基準」を提案するものと言えるかもしれませんね。

中野　脳における美を判定する領域の一部は、今、熊澤先生がいみじくもおっしゃった「正統」という概念と無縁ではないのです。実は、正しいかそうでないかを判定する機能も同じところが担っていて、美と正の2つの価値は意識的にやらなければ分離することが難しい。

現代アートではこの基準を分けて扱い、2つの基準の距離の意外な遠さを楽しんだりするのですが、意識的にやるということはつまり、脳にとってはかなり疲労感を伴うことなのです。だから時々、「整う」をしたくなるのかもしれません。

熊澤　ちなみに東京国立博物館はここ20年ぐらいで、展示のやり方、ライティングなどがよりモダンになり、かつての雰囲気とは変わったと思います。そういう点でも、常設展を観てみようという方にとっても入りやすくなったのではないでしょうか。

中野　そこにあるもの自体は時代を経ているものだけれども、見せ方は、実は密かに新しくなりつつあるんですね。

奈良国立博物館で毎年開かれる正倉院展は大変な人気で、2019年は東京国立博物館でも特別展があり、やはり大盛況でした。香木の《黄熟香》（蘭奢待《らんじゃたい》）のケースの前はすごい人だかりで、なかなか近づけない状態にまでなっていましたね。正倉院は皇室ゆかりの宝物を1260年にわたって保管し続けています。

熊澤　皇居内の三の丸尚蔵館にも皇室ゆかりの品々が展示され、一般公開されています。歴代の皇室に納入してきたもの、皇室で実際日々にお使いになるもの、儀式でお使いになるものなど、皇室でお持ちの「御物」および宮内庁管理文化財は、慣例により文化財保護法の対象外となっていて、重要文化財の指定を受けません。正倉院が所蔵する奈良時代の《鳥毛立女屛風《とりげりつじょのびょうぶ》》（樹下美人像）にしても現存する日本最古の戸籍にしても、間違いなく国宝級ではあるけれど、国宝とはならないんです。

ヨーロッパの王家のコレクションが啓蒙思想の時代に公開されていったのとは対照的ですが、日本の皇室に継承された文化遺産は、皇室の方々の日々の活動と連動しているものであり、皇室の歴史の蓄積の成果ですね。

正しい鑑賞法なんてないか？

中野　アートに関する知識が豊富でない場合、美術館を訪れて多数の作品を前に一つひとつゆっくり鑑賞していくと、作品に対する感動を覚える以上に疲労感のほうが勝り、「ミュージアムは疲れる」「有名な作品でないとつまらない」という感想になることもありますね。

そのため、一枚の絵あるいは一つの彫刻を鑑賞するときに、どこから観ればいいのか、解説文から読んだほうがいいのか、何分ぐらい観ればいいのかなど、正しい鑑賞の仕方がわからないという声をよく耳にします。

熊澤　美術作品、あるいは博物館の展示作品をどうやって鑑賞するのか、ということを気にされる方もいらっしゃるのではないかと思います。

前提として、作品にはどういう背景があるのかを知ることは、鑑賞の助けになることは間違いないです。実際、作品内容や背景を知ってこそ、作品の神髄に触れられる瞬間は間違いなくあります。それは、洋楽を聴いているとき、歌詞が分からないんだけれど聴いていて面白い！　と思っていたら、歌詞の意味を知って驚く、といった体験に近いと思います。もちろん、「歌詞の意味」は分かったほうがいいに決まっています。ただ、初めて鑑賞するのに、「このような見方が正解です」と私たちのほうが限定してしまう、というのは基本的にないと思うんですね。コーヒー屋に行って好きな豆を好きな飲み方で飲むように、まずは自分の好きなものを好きなようにご覧になればいいんです。

実際、ミュージアムの鑑賞者は、展示室のなかでは自由に行動しますし、自由に観ていいんです。ミュージアム側はいちおう、順路通りに観てもらうことを想定して準備するけれど、順路通りに観ない人もいます。また、作品一点につき15秒、あるいは7秒しか鑑賞時間がかけられていないという調査報告もあります。

中野　作品一点に7秒ですか……。

熊澤　こういう内容の展覧会だということは、会場入り口に文字で説明が書いてありますよね。それから図録があったり、音声ガイドがあったりしますが、それらを読んでいただくことを前提に空間をつくっています。

一方、作品に対する説明が少なめな展示もあります。特に現代美術の展示の場合、作品が部屋の真ん中を大きく占めていて、解説等が少ないこともあります。ここでは

「読ませる」ことが中心ではありません。

逆に、解説文を読んでみて、この作家はどういう人なのかわかったら、あとはサラッと観るだけで帰るという人もいます。マニアであればあるほど、一日に4ヵ所もミュージアムを回ったりするんですよね。

これは、やや笑い話に近いかもしれませんが、ドイツ・フランクフルトのシュテーデル美術館に、レンブラントの弟子にあたるバーレント・ファブリティウスが描いた自画像があるのですが、それは驚くほどマイケル・ジャクソンに似ているのです。実際SNSでも、マイケル・ジャクソンに酷似していることで盛り上がったりしました。私は、こういう見方で関心を持つことは全くもって「あり」だと思います。ただその一方で、展示されている作品に関心を持ち始めたときに、これがどのような歴史を経ているものなのか、知りたくなるのではないか。そのようなときに、次の一歩として、オーソドックスな見方の存在に気がつくのではないかと思います。

特に、古い作品というのは、古ければ古いほど、どういう見方をされてきたのか、という「鑑賞の歴史」というのもあります。それを踏まえて、今の見方ができあがるわけですから、そのときにはぜひ次の一歩を踏み出してもらえるとよいですね。

問いを立てながら観る

中野　おすすめの鑑賞法としては、自分で問いを立てる練習をしながら観るというのはいかがでしょうか。

　私は誰かのコレクションを見にいく場合は、どうしてこの人はこんなコレクションをしたんだろうという謎解きをするようにしています。このコレクションはどうしてつくられたのだろう？　このキュレーターはどうしてこんなふうに並べたんだろう？　どうして今の時期にこれをやろうと思ったんだろう？　どうしてこの作家はこのモチーフを使ってこういう絵を描こうと思ったんだろう？　というように謎を持ちながら観ていくと、それだけでも楽しみが2倍、3倍になりますし、たくさんの情報が脳に入って刺激的です。

熊澤　とても良いと思います。

中野　来歴そのものもけっこう数奇な運命を経ていて、それを観るのも好きなんです。たとえば、第2章で取り上げたモネの《睡蓮―柳の反映》は、2019年の国立西洋美術館で開かれた「松方コレクション展」の最後に展示されていました。

フォンダシオン・ルイ・ヴィトン美術館

そこで、「どうしてこんな欠損をしているんだろう？」という謎を解こうとする。もちろん、解説文も掲示されているのですが、その奥深くにも物語がある。ただの欠損した絵でも、ここに至るまでに100年の歴史があるわけですよね。そこに日本とヨーロッパのやりとりの歴史があるわけです。問いを立てれば立てるほど、情報が豊かに自分のものになる。

ミュージアムそのものも、たとえば、パリのブーローニュの森には奇抜な形をしたフォンダシオン・ルイ・ヴィトン美術館がありますが、どうしてルイ・ヴィトン財団はこんな美術館の建設にお金を出したんだろう、とか謎解きをしていくと、いろいろ面白いことがわかると思います。

情報には縛られなくていいが、重要なもの

熊澤　先ほど、誰が購入した、あるいはどこのミュージアムに展示されたといったことが作品の価値を上げているというお話をしました。そういった情報を排除して、純粋に作品を見るべきだ、形を見るべきだという考えもあるかもしれませんが、私はそれには懐疑的です。

芸術作品と出会う時には、**最初は情報に縛られずに自由であっていい**と思います。かつてレコードやCDの「ジャケ買い」をしたように、内容より見た目のイメージから入ってもいいし、ゆるキャラのようにカワイイからというのでもいいし、前澤友作さんが好きだからでもいい。何かしらの芸術作品を観ているときは、自分の記憶や過去の経験などを総動員して観ているはずです。それで好きになるとか、嫌いになるとかということだと思うのです。

たとえば、豪華な服を着た女性の肖像画がある。誰だろう。肖像が造形的に美しいというだけではない、絵に何か潜んでいる、それを感じた瞬間に、いろいろ知りたい

という思いが自分のなかで発動する。タイトルを見ると、ヘンリー8世の2番目の妻アン・ブーリンだ。ああ、聞いたことがある名前だけど、どういう人生だったのかなと思う。

そこで説明を読むと、この女性は国王であるヘンリー8世が教会を新しく興してまで前妻との離婚を成立させて結婚した相手だ。にもかかわらず、それからわずか3年ほどでこの女性は断頭台に散ったのだと、描かれた人のドラマチックで残酷な運命とその時代背景を知るわけです。

あるいは、ああ、この肖像画のきれいな女の人が、池田理代子の『ベルサイユのばら』に描かれたマリー・アントワネットなのね、と連動する瞬間もあるでしょう。古い絵であればあるほど、「なんだ、これ?」みたいに思うこともあります。

レオナルド・ダ・ヴィンチの《サルバトール・ムンディ》という作品を見ると、《モナ・リザ》のような繊細なタッチで描かれているような、でも雰囲気が違うような……というふうに思うかもしれない。もしかしたらある人は、「レオナルドはこういう描き方もするのか」と思うでしょうし、「こんな描き方をするのか?」と疑いたくなる人もいるかもしれない。そう思ったら絵の来歴や時代背景を知りたくなるでしょう。

ちなみに、《サルバトール・ムンディ》は1500年ごろにダ・ヴィンチがイエス・キリストを描いたものとされます。長い間行方不明だったのが20世紀になって発見され、2017年、4億5000万ドル（約500億円）という途方もない額で落札されました。落札したのはサウジアラビアの王子です。

なんでこれを買っちゃったの？　というような疑問が湧いてくると思います。オークションで落札されて以後、公の場に展示されたことが一度もなく、本当の所有者が誰で絵はどこにあるのか、果たして本当にダ・ヴィンチが描いたものなのか、いろいろな臆測を呼んでいる絵です。

《サルバトール・ムンディ》

入り口はどうやって入ってもいい。ただ、入り口の扉を開けてみると、すごく深い世界が待っています。ゆるキャラや『刀剣乱舞』のキャラクター展示が見たいといういわば軽い気持ちで足を踏み入れても、結局は、ミュージアムの展示内容の奥深さを味わっていくことになります。それはとても楽しいことでしょう。

正しく記述された歴史とか、いろいろな人が議論した歴史とか、あるいはいろいろな人が嘘をついた歴史とか、ミュージアムは作品の過去の物語をふんだんに揃えて待っているんです。

MUSEUM COLUMN

東京藝術大学にはどんなコレクションがあるか

私（熊澤）が勤務する東京藝術大学（藝大）には、その前身である東京美術学校開学から続く、美術資料収集の歴史があります。本学附属の大学美術館（藝大美術館）は、藝大にある様々なアカデミック・リソース（学術資料）のうち、美術品を中心とした多種多様な資料を収集・保管し、活用する施設です。

大学、それもアートアカデミーという場が保管する「資料」とはなにか。一般的な教育機関ではそれは図書資料であり、図書館が必須になりますが、美術の場合にはこれに加えて、学ぶために必要な「参考資料」が重視されます。そしてその参考資料が豊かであればあるほど、学生にとっては、そして指導をする教員にとってメリットになるわけです。「実物」を通した学びの有効性は、言うまでもないことでしょう。

参考になる美術品の収集

そもそも東京美術学校とは、明治時代に設立された、官立、つまり国家が主導する美術の学校です。その目的はとても明確で、「本邦固有の美術を振興する」というものでした。1887年に設置されたとき、実物を活用する教育は、当初から重視されていました。学生が実際に入学できる「開校」された1889年の時点で、芸術教育のための参考となる優れた美術品が、相当数収集されていたのです。そのなかには、現在国宝指定されている《絵因果経》に代表される古美術の逸品や、狩野芳崖《悲母観音》など、美術学校の理念を示すような同時代の美術作品も含まれていました。

参考になる美術品の収集はこのあと、黒田清輝が主導する西洋画科（現在の美術学部絵画科油画）など、後から追加された学科でも重視されました。藝大美術館のコレクションとして多くの人が思い出す高橋由一の《鮭》なども、まさしく参考品としてあつめられたものだったのです。

ついでに申し上げると、藝大美術館のもう一つの名品である上村松園《序の舞》などは、直接には美術学校とは関係がないものでしたが、当時国が主導して実施されていた文部省美術展覧会（文展）などで政府買上となった作品が、美校に納入されていた時期もありました。これは、参考品として、という側面とともに、同時代の美術を保存しておくことが求められていたためかと思われます。

1万件に迫る学生の作品

この種の参考品は、古美術や、教員たちの選ぶ作品、あるいは教員自身の作品から始まっていますが、それとともに、学生が作った卒業制作も、当初から間断なく収集されてきました。1893年、美校の最初の卒業生である横山秀麿（大観）たちの卒業制作が納入されて以降、現在にいたるまで、各科の学生の優れた作品が収集されてきています。

学生が制作して保存されたものを、藝大美術館では「学生制作品」と呼んでいます。この名称で所蔵品登録されているこの作品群は、1万件に迫ろうとしています（2020年4月現在）。この種の卒業制作の評価はときに難しくあります。その時点で最高の評価を得た結果収蔵された卒業制作も、現在の美術史の文脈で見るとその重要性がさがっているものもあります。ただこれらは、「学生の制作の記録」という変わらぬ基準で収集が継続された、という点が重要なものです。

横山大観の1893年の卒業制作から令和年間まで続く卒業制作の収集。この独特なテーマ設定による収集は、その継続性こそが肝と言えます。その130年近くになろうというこの学生制作品の収集は、結果的にではありますが、「日本近代美術の（ある意味での）定点観察」という特徴を持つこととなったのです。

6000件もの自画像

学生制作の記録、という意味でもうひとつ重要なコレクションとして、藝大美術館にある自画像コレクションもご紹介したいと思います。この自画像とは、西洋画科の学生が卒業時に課題とされていたものです。同科を主導した黒田清輝による教育課程のなかで、4年次に自画像を描くことが課題とされていました。現在では、油画以外の科でも課題として出されており、その結果、藝大美術館の自画像コレクションは、6000件にも及ぶ規模になっているのです。

藝大美術館の未来

ここでご紹介した藝大美術館のコレクション（「藝大コレクション」と呼んでいます）は、その出発点が教材であり、学生の記録であるという、他の美術館とは成り立ちの異なる変わった特性を持っています。ただ、その一方で、総件数約3万件におよぶコレクションは、当初の目的をこえて、様々な文脈を持つ資料をあつめつつあります。それは、前章でご紹介した「博物館資料」としての多様さをもつものです。

藝大美術館ではこの膨大なコレクションを、藝大の各科が授業などで活用するのに協力するとともに、このコレクション自体の美術史的・博物資料的価値を見極めるために、日々施設管理などを行いながら、調査研究をしています。この成果の一部を、所蔵品である「藝大コレクション展」で定期的にご紹介しています。

通常の美術館・博物館とやや状況が異なる、特異なコレクションを持つ藝大美術館の活動にぜひご注目いただければと思います。

（熊澤 弘）

第4章　これからのミュージアム体験

――アートはなぜ必要なのか？

アフター・コロナの課題

熊澤　博物館法で「博物館」と定義されているのは、総合博物館、科学博物館、歴史博物館、美術館、野外博物館、それに動物園、植物園、動植物園、水族館です。

文化庁によれば2018年10月現在、全国に合わせて5738の施設があります。都道府県、市町村、個人、会社、財団、宗教団体など運営の主体はいろいろですが、それぞれ見せ方を工夫すべく頑張っています。

ぜひミュージアムの扉を開けて入ってほしいのですが、これからしばらくはソーシャル・ディスタンシング、つまり人と人とは2mの間隔を空けるとか、入場制限をするとか、ミュージアムは来場者にも不便をかける環境になるでしょう。

そして実際、2020年の秋の時点で開館している美術館・博物館は、どのように開館するのか、どのように距離をとってもらうのか、ということに苦心しています。

中野　人気の展覧会などは、ソーシャル・ディスタンスを取っていたら入場希望者の5分の1も入れないのではないでしょうか。いつも目玉となる展示の前にはすごい人だかりができてしまいますから、それを整理誘導する監視員の身が危ないということになってしまわないかが心配されます。

熊澤　検温してもらう、名前を書いてもらう、というようなことが入場の条件になると、大きなミュージアムでもその対応が大変ですし、小規模館ではそもそもそれをする人が配置できないでしょう。

もちろん、これは世界共通の問題で、みんな同じように苦しんでいるのですが、日本の場合はミュージアムの予算がかなり減っているんです。展覧会ではよく警備の人が座っていますよね。野外展示の場合は炎天下で警備している人もいます。特に地方のミュージアムでは、こういう警備はボランティアの方がやっている場合が少なくないんです。

中野　そうやって支えてくださっている人がいるんですね。

当面の間、桂離宮方式を採るというのはいかがでしょう。桂離宮の参観は、事前にオンラインか郵送で申し込まなければならないんです。この方式であれば、入場の際に名前を書く手間が省けますし、入場人数を制限することもできます。もうPeatixやArtStickerなどのアプリを利用したりして、このシステムの導入に踏み切っているところも見ます。

熊澤　それはいい手なんですが、オンラインのシステムを導入する、というのにもまあまあお金がかかります。予算のないミュージアムにとっては、その種の新しいシステムを導入するのは厳しいかもしれません。

展覧会の図録もオンラインで購入できれば、と思う方もいると思うのですが、細かいことなのですが、そのように購入したりするための電子会計システムに対応するのが大変な場合もあります。新しいシステムを使いたい！　と現場の職員がやる気満々でも、システムの導入について大きなお金が動く話になりますから、決裁が下りないことが多いのです。

中野　行政の腰の重さというのが出てきてしまうんですか。

熊澤　行政が遅い、というのはたしかにそう見えるでしょうが、それ以上に行政の人数の少なさです。我が国は先進国で類を見ない「公務員の少ない国」です。当たり前のことですが、公務員の数が少ないと、実務や緊急事態への対応が難しくなります。単純に手が足りない、人員不足、という事態が起きているんです。

10年後、幸せに生きていくために必要

熊澤 ミュージアムを訪れる人は今、中高年でも、高い年齢層の人々が圧倒的に多いです。子どもたちや若い世代では、学校の授業で無理やり行って鑑賞させられたという人がけっこういるんですよ。

せっかくたくさんのミュージアムがあるのに、そんな感想を抱かせるようではもったいないと強く思うんですが、でも、思い起こしてみたら、私自身も子どもの頃にどうだったかと思い出してみると、別にミュージアムに入り浸っていたわけでもなかったし、そもそも近くにミュージアムがなかった。近くにミュージアムがあるというのは、東京圏の人が特権的に持っているありがたい特徴と言えるかもしれません。

それぞれの都市に住む人々は、また違う「ベース」があるのではないかと思います。たとえば京都の方々の場合、子どもの頃から重要文化財級の神社仏閣を庭にして遊んでいるわけですから。

中野 500年ぐらい前のものを普段から見ているわけですよね。

熊澤 広島の方は平和記念資料館、沖縄の方はひめゆりの塔が近くにあるという環境で育つわけです。それぞれの地域で特徴があって、小規模なりにも博物館や資料館が

あります。エンターテインメントとしては、スペクタクルなショーのようなところにみんな行ってしまうのですが、博物館や資料館はつまらないものなのか？　と疑って見直すと、知れば知るほどけっこう面白いところに気づくと思います。

目の前に置いてあるものが、あるいは目の前に飾ってあるその絵が、実はとても古くて重要なものなのではないかと思える瞬間が訪れれば、博物館・資料館の世界にハマるでしょう。

中野　リテラシーがないと、あるいはリテラシーが備わるまでに成長しないと、面白さを読み解けないかもしれませんね。

熊澤　初めからアートが近くにあったから好きになった、という人は多いかもしれません。現代美術の展覧会をよくやっている場所、たとえばフランク・ステラ（１９３６〜）のような超有名な20世紀のアーティストの作品が見られる環境が近くにあると、自然に身につくものがありますね。

中野　それを高める環境があるのとないのとでは大きく違ってきますね。知能をはじめとした子どもの能力というのは、もちろん遺伝的要素が関わってはいます。が、環境要因も無視できない。それどころか、遺伝よりも重要かもしれないのです。親の経済状況が子どもの学力格差にけっこうクリティカルに影響しているのではないかという研究報告が議論を呼んで久しいですが、アートは学力以上に親のリテラシーが強く影響するかもしれません。

親に文化的素養があったり、周りにアートに親しむ人が多かったりするという環境は、簡単には整わないと思います。明日の仕事をどうしようと気をもんでいる状況では、人々は「アートなんか要らない」と言うかもしれない。

10年後、私たちが幸せに生きていくために、50年、１００年先の世界や地域の安定を図るためには、アートは絶対に必要なんだけれども、明日のために必要であるわけではない。それ故に切り捨ててしまう人がたくさんいるというのは、私は本当に哀しいことだと思います。

現代アートはわかりにくい？

熊澤　様々な芸術品を「公共財」としてみなが享受することが出来る、そして様々な場で、作品を発表することもＯＫという時代が、啓蒙主義の時代、さらにフランス革命以降続いています。このようなコレクションを、パブリックなものとして見ることができ

ジャクソン・ポロックの作品

る環境に、少なくとも私たちはいるわけです。

価値あるものに触れる機会が存在することそれ自体がとても重要ですよね。水は飲まなくては死んでしまうから最優先に確保するとして、その次は食べ物、その次が服を選ぶとか、髪の毛を切るとか、スマホで漫画を見るとかいうことでしょうか。

それらと並んで、美術館・博物館に出かけることも選べる環境だといいなあと思います。パリ、ニューヨーク、ウィーンやイタリアの各都市は言わずもがな、そういう、良いミュージアムや文化遺産が世界には沢山ありますし、日本国内には各都市に必ずあるという環境です。

中野　ミュージアムに行こうというときに、行き慣れている人は何ということもありませんが、行き慣れてない人には、心のハードルがあると思うんです。子どもの頃に気が進まなかったけどみんなで一緒に「行かされたな」というような、あまり楽しくなかった思い出、それから、鑑賞してもよくわからなかった、つまらなかったという思い出がある人がいるんですよね。たとえば、ジャクソン・ポロック（1912～56）を見ても、ぜんぜん何なのかよくわかりません、みたいな。

熊澤　ジャクソン・ポロックについて語るのは、私はできないかな……。関心がある、ない、というのではなく、このアーティストについて皆さんに向けて適切に語る、位置づけることには専門的な知が必要なのですが、それを私はできない、ということです。お恥ずかしいですが。

とはいえ、このアーティストの作品を見るのは好きですね。訳がわからなかったものが少しでもわかってくると面白いし、もっと知りたいと思うようになりますよ。

中野　何かもう少し、ミュージアムに行ってみてわかった、楽しい体験をした、という正のモメントがあれば、人は放っておいてもそこに行こうとするでしょう。しかし現状は、そもそも行くだけでハードルがあるうえに、行ってもよくわからなかったとなると、足を運ぶことさえ苦痛になってしまいます。

熊澤　現代アートがわかりにくいのは、案外世界共通です。

中野　（笑）

熊澤　ミュージアムの展示室には、わかりにくいもの、あるいは受け付けにくいものもある。このような状況に答える方法はいくつもあります。一つは、わかるように説明する。作品解説やパネルの説明であったり、展覧会図録や関連書籍などで、より理解できるようになるのは面白いことですね。

そしてもう一つ、わかりにくいものに接するという体験そのものを重視するという考え方もあります。作品を体験し、展示空間を体験した上で、鑑賞者がどのようなことを感じたのかなど、「読む」というより「体験してその上で考える」といった鑑賞もあり得るでしょう。

このような、作品の展示を作り上げるだけでなく、作品を通した人との対話に関わる部門を、日本語では「教育普及」と呼びます。それぞれをミュージアム内のエデュケーション・セクション、あるいはラーニング・セクションがうけ持ったりします。この教育普及部門は、ミュージアムでもとても重要なセクションになります。職員の中にこういう教育・普及をやる人がしっかりいることが理想的で、そういう人たちによって鑑賞者はナビゲーションされることが必要なんです。

ところが、これが極めてつらいところで、日本の場合は博物館の職員の数が少なく、この部門に人がまわせないことが多いのです。海外各国においては、ミュージアムの中に教育・普及のセクションがあることは重要だという認識があり、教育・普及の価値が上がったんです。

中野 教育・普及は何より大事ですね。

アートは人を耕す

熊澤 それはミュージアムの大切な役割なんです。しかし日本ではそもそも配置されている人の数が少ない上、職員の人数はさらに減っているんです。今はそのような減った人員の中、やりくりしながら作業をしている、という厳しい状況です。

中野 なぜ、そこまで減ってしまったのですか。

熊澤 根本的な話として、予算の割り当てが少なく、必要とされることを実施できない、という状況にあります。施設の維持が固定費としてかかり続けるのは当然として、作品管理・調査、展覧会準備の他、情報のデジタル化などにお金がかかります。そして基本的には、これを実行するためには人件費がかかります。

ミュージアムの公共性を考えるのであれば、教育・普及などの地道な活動がきちんとできるようになるのがいいですね。ヨーロッパの美術館では、子どもたちが大勢、絵の前で地べたにベタッと座って、先生と絵について何やらしゃべっている、という光景に、本当に高い頻度で出会います。そんな様子を見て、「いいなあ、日本でもこんなことができたらいいのに」と思いました。

日本ではそれをできる専門家がいないのではありません。専門教育を受けているプロもいます。そのような人たちを雇用する余裕がないのです。それだけでなく、今は新型コロナの影響で、欧米のミュージアムで多くの一時解雇や解雇が始まっています。これは将来にわたって致命的なダメージとなりかねません。

中野　ＹＣＡＭ（ワイカム／山口情報芸術センター、山口市）に行ったときに、近所の子どもたちがゲームセンターだとか友達の家にでも行くように、わらわらと集まってきていました。子どもなのにカルト映画を観たりしていて、この子たちはなかなかやるなあと感心しました。東京でもこういう光景は見かけないと思って、実にうらやましく思ったのを憶えています。

熊澤　子どもたちがミュージアムにあまりいい印象を持たないのは、騒いではいけない、騒ぐと怒られるということもあるのかな。まずは、ミュージアムという場所がある、そういうような空間があると知っておくだけでもいいのではないでしょうか。

初めての体験は、私のように「ミロを見ろ」でもよかったのかなと思います（笑）。中高生ぐらいで、あるいは大人になってからまた行ってみて、あらためてインパクトを受けることもあると思うのです。


中野　ＭｏＭＡ（ニューヨーク近代美術館）がやっているＶＴＳ（Visual Thinking Strategy）というプログラムがあり、教育界で大変注目されています。

私たちは中高の美術の授業で美術の作品を見るとき、誰が描いたか、由来はどうか、何で描いたか、どういうモチベーションで描いたかということを勉強して、定期考査で吐き出すということをしてきたと思うんですが、ＶＴＳではそれを一切やりません。

たとえば、モネの《睡蓮》を見せて、これはモネが何歳のときに油彩で描きました、パリ郊外のジヴェルニー村で描きました、モネは白内障でしたとかは、最初に教えないんです。

そうではなく、「あなたには何が見えますか」と訊ねます。そうすると子どもが、「この池にカエルがいます」と答えた。カエルなんかどこにも描かれていないので、「どこにいるのかな」と聞く。すると子どもは、「今は水の中に潜っているの」とか言うんですよ。このようにして、子どもの発想、意見を潰さないように、決して否定せずに聞いて、考えさせていくと、なんと子どもの理科の成績が上がり、言語能力も高くなるということが明らかになったのです。

それから、VTSは教育的な効果があるということで、アメリカで爆発的に広がっていきました。それがアートの世界から始まったということ、すなわちアートは人を耕すということが、もっと注目されてもいいのではないかと思います。「ミロを見ろ」でもいいのだということと何か通じるものがあるように思います。

アートとは何か

中野　10年後、私たちが生き残っていくために、50年、100年先の世界や地域の安定を図るために、なぜアートは絶対に必要だと言えるのか。

まず、アートの定義ですが、定義の仕方によって、あるものはアートにもなり得るし、あるものはアートではなくなるわけです。では、デュシャンの《泉》（146ページ）はアートなのか。便器にサインをしただけではないか。でもこれこそ「危険なのは『アート』という言葉なのだ。『アート』といえば、本当は、なんだってアートと思わせることができるのだ」と定義することによって、レディメイドのものをアートにしてしまった例です。

そういう「言葉によって世界を反転させる」という試みを、現代美術ではかなり重要視しているわけですけれど、これは人々に驚きを与えるという点では成功していると言えるでしょう。

しかし、観た人の受け取り方はアンコントローラブルなので、それぞれのダメージをアーティストが吸い取りきれるのかというと、なかなか難しいところもあるわけですね。その吸い取りきれないところも含めて、社会も巻き込んだインスタレーションにするのかどうかというのも、その作家の裁量に任されるわけです。

《泉》はやはり、アートなのです。受け取り手には反発される方も多いものかもしれません。このとき反発される方が持っているアートの定義は、近代以前の、既に評価の定まったものがアートであって、現代のものはなかなか受け入れ難いと考えている人が多数派であるように思います。それぞれの送り手側と受け手側のアートの定義が異なることによって生じてしまう齟齬《そご》の部分をどう扱うか、という問題は残されていますね。

熊澤　アート（art）は、ラテン語のarsからきていまして、arsには芸術、技術の意味があります。技術、つまり人間の作りしものがartで、自然物がnatureになるわけです。

ミュージアムには人が作ってきたものが多く残されています。それが工芸作品だったり、彫刻だったり、絵画だったり、あるいは版画だったり、もちろん建築もそうでしょう。要するに、人の手で作ってきたものの歴史がアートの歴史です。となると、レディメイドと呼ばれる、既存のものを使ってアートを作り出すのであれば、デュシャンの《泉》は、その一連の出来事の記録も含めて、重要なアートの成果と言えるのではないかなと思います。

大文字のARTという大上段に構えたアートもあります。「これはアートではない」と言ったりするときに使われる〝アート〟で、美術館に入るべき立派な作品といったニュアンスもあります。ただ、美術館に入るべきものには漫画もあったり、昔は猥褻とされて発禁になった版画もあったりする。

人の膨大な活動の歴史が、美術館・博物館、さらに図書館や個人の手元に遺産として残されていて、その中の人の手になるものが「アート」なのだと思います。

ミュージアムの仕事をしていると、いろんな作品／資料に出会います。もちろん、専門と違う、好きなものと違う作品、その良さがよくわからない作品にも出会います。

ただ、そのようなものとも向き合うこともあるのです。メトロポリタン美術館の学芸員で、レンブラントやフェルメール研究で知られるウォルター・リートケ（1945〜2015）という人が生前語った言葉があります。ミュージアムの学芸員のなすべきこととして、「the objects define the job」つまり職務は扱うモノが決める、というものです。

専門外であったり、自分にとって関心のある作品であろうがなかろうが、その作品・資料の作者がだれか、どんな様式でつくられているのか、コンディションはどうなっているのか、作品の来歴、過去の研究の蓄積はどうなっているのか、そして展示をどうするのか。このようなことを調べるのが学芸員の役目なんですね。

現実的なことをいえば、この表現はあまりにも理想論的な響きがあり、これをやりたくてもできない現実のなかで、多くの学芸員は活動しています。ただそうであっても、彼がしめす「やるべきこと」には胸を打たれます。

キュレーターは黒子か

中野　ミュージアムに所属する学芸員と、コレクターとしてかかわる人とでは、ベクトルが変わってくるのでしょうか?

熊澤　コレクターと学芸員はともに、コレクションを作り上げ、管理していますね。コレクターはまず、自らの資産としてコレクションを作り上げ、そのために自らの財産をつかいます。そしてそのコレクションを通じて自分の世界観を現実のものとしているのかと思います。

一方、ミュージアムの学芸員の場合、彼らが形成・維持にかかわるコレクションは、当たり前の話ですが個人資産ではなく、社会の共有資産、公共財です。

もちろん、コレクターも、自らのコレクションの「公共性」を考えています。大原孫三郎、松方幸次郎らも、自らのコレクションを人々の教育のために使うことを目指していました。その結果が、大原美術館、さらには国立西洋美術館へとつながっています。

ミュージアムの学芸員は、公共財となっているコレクションをいかに維持・拡張し、活用するのか、ということを考えます。「公共財」と言ってもその種類は様々です。ヨーロッパ美術に由来する絵画もあれば、地域に由来する伝統的な仏像もあれば、歴史的な古文書、あるいは戦中に書かれた手紙もあります。

たまたまここに挙げたのは歴史・人文系の資料ばかりですが、自然科学のものもあります。これらのモノを存続させ、適切に生かしてゆくためには、様々な専門知を寄せ合いながら公開してゆくことが求められます。

このように、やることを列挙してみると、あらためて大変な仕事なのだと実感しますが、それを「公衆の利益に供する」ことが学芸員の使命になるでしょうか。表に立って活動する仕事というわけではないので、気づかれにくい仕事ではありますが。

中野　近代以前はアートの文脈がかなりリジッドで、作品に対する評価もほぼ固まっていますよね。しかしながら、現代、特に80年代以降のアートは整理がついていない部分がたくさんあります。

そうすると、キュレーションの公益性という観点からもなかなか整理がつけにくく、展示にはそうとう個人の趣味が入りますね。批評家の浅田彰さんに言わせると、キュレーターは個人の色を出さずに黒子に徹するべきだということなのですが、黒子に徹するには中立的な見方というものがなければいけない。

でも現代美術はそれをまだ定義しにくい。そうなると、どこに寄り添ったら公益性を確保できるのかというところが議論の余地のある課題として残ってしまう。それこそが「公共」だという人もいるでしょうけれど。

熊澤　たとえば、会田誠（１９６５〜）はエロティシズムや政治的表現でたびたび物議を醸していますが、藝大卒業が１９８９年で、在学中から現在につながる活動をしています。このように30年ぐらい経つと、一人の作家の制作活動に対して、いろいろなことが言われる――批評や言説が生まれる、といったらいいでしょうか。そして、そのような言説をうけて、作家は活動したりということが繰り返されるのでしょう。

１９８０年代、90年代のアートは、いままさに歴史的な現象として、その時代の批評だけでなく、現在にいたるまでの記録が顕彰されたり、という具合に、これから一層「歴史」としてまとめられてゆく可能性はあります。そして実際、この数年に、80年代、90年代を特集した展覧会などが増えています。

コレクターやギャラリーが、今、こういう人がこういう活動をしていますと紹介するのはとても意味があることです。さらに活動していくうちに、こういう国際的な評価を得ました、こういうことでひどく炎上したということが繰り返されることによって、その作家、その作家のグループがいた時代の定義は定まってゆくのではないかと思います。まるで地層が形成されるようなゆっくりした作業ですね。

中野　整理されていないところは「紹介する」という意義のほうを重要視して、キュレーターやアートプロデューサー、ギャラリストたちは活動していくことになるんですか？

熊澤　「紹介する」ということを重要視する、と言い切るのは難しいかと思います。ただ、「この作品はこういう文脈から理解される」「この作家の活動は、〇〇という文化と関連付けながら理解される」といったことを、紹介する側は表明しますね。

どのようにして批評家は批評家たり得るのか

中野　作品や作家の評価を与える側の話をもう少し伺いたいんですが、批評家のランクというと角が立つかもしれないけれど、多くの人に参照される批評家とそうでない批評家がいると思うんです。どのようにして批評家は批評家たり得るのか。

なぜこんなことを訊くかというと、世界的な批評家といわれる人が日本から輩出されない限り、日本のアートは安く買われてしまう。この問題が現代美術の人には鬱屈した不満としてうっすらと広がっていて、日本人の作品をちゃんと売れる人、評価できる人をグローバルの文脈の中に輩出していくためにはどうすればいいのかという問題提起があるんです。

熊澤　現代アーティストでは国際的に活動している人がいますね。村上隆、奈良美智（1959〜）、そして草間彌生は世界で人気になっています。「具体」という兵庫県芦屋市から始まった50〜60年代の美術運動も国際的に評価されています。

遡れば、浮世絵、日本美術もジャポニスムの文脈で評価されてきました。さらに近年、一部のマニアから発展した形で、アニメ、漫画も国際的に知られるようになって、それをベースにした経済産業省が後押ししている「クールジャパン」政策も推されています。

こういうバックグラウンドはありますが、日本人がこういうふうに見てもらいたいという美術批評的な世界は、そこまで広がってはいないと思います。なぜかというと、世界――率直にいえば英語圏ですが――英語圏の美術批評、それにつらなるマーケットの規模はとても大きく、そういうところででき上がる言説、ものの考え方、ものの見方、消費の仕方と、日本のそれとは違うのです。

日本には多くの出版社があって、新刊がたくさん出て、古本屋の規模も世界一だといいます。しかし、その日本語の文化は日本人が消費して、膨大な蓄積があっても世界では読まれない。司馬遼太郎は絶対英語に翻訳されないけれど、司馬遼太郎は私たち日本人にはすごく面白い。マーケットの違いと、マーケットにそれぞれある言論空間の違いはどうすることもできないんです。

一方、中国や韓国は、国ぐるみで自分たちの文化、自分たちのテレビ番組を海外に売ることができている。それは、外に向けて外の文脈で売ろうとしているからです。

中野　韓国文化院の海外戦略はすごいですね。アメリカならアメリカ向けに、中国には中国向けに、アイドルグループを戦略的にマーケティングして売っている。そこまで戦略的にやれるのは、韓国は人口の制約があり、大きなマーケットを国内に作ろうとしても限界があるので、却って文化予算に大きな予算を割くことに国民のコンセンサスが得られているからではないかと思います。

日本人は毒気を抜かれている

熊澤　日本の場合、文化庁や文部科学省の役割は、教育と保存が中心なんです。海外に向けて打って出るというときには、経済産業省ですね。でも、クールジャパンをそのまま英語に訳して、他の国に紹介するだけでは、いろいろ足りない気がします。特に日本のアニメは、カナダでは児童ポルノ扱いになってしまいます。

中野 極言すれば、の話ですが、日本人はみんなペドフィリアだと思われかねないといいますね。

ミスユニバースのコンテストで、日本人は2006年に知花くららさんが世界2位、2007年には森理世さんが世界1位になりました。いずれもフランス人のイネス・リグロンがナショナル・ディレクターとして指導したんですが、知花さんも森さんも顔かたち、姿、コンテストのときのスタイリングは、日本人ウケする美人というゴールを目指す形には必ずしもなっていません。しかし、それが世界でウケる美人の基準だったわけです。

その後、別の人がディレクションするようになって、日本人の基準で仕上げていくと世界大会では選ばれないことが起きました。琴線が違うとでもいうんでしょうか、批評空間が違うというのは、こういうことなのかと思うのですが。

熊澤 日本には日本なりの価値観がある。それがかつてジャポニスムといわれてヨーロッパでウケていたのですが、それがウケなくなってしまったということもあるかもしれないですね。結局はヨーロッパが世界地図の中心で、日本は極東と位置づけられてしまう。そもそも小さい国で、メインストリームになることを目指しているというのとはやや違うのではないかなと思います。

中野　私は藝大に入ってから植村幸生先生の日本東洋音楽史を履修したんです。植村先生の授業では、いろいろな旋法、和声、各国の楽器など、それぞれの文化圏のそれぞれの美しさの基準があるということを、各国の文化にリスペクトをもって教えてくださいました。

先生は静かに、穏やかにお話しになるのですが、密かに怒りを感じていらっしゃることが伝わってくるんです。マイナーな音楽を「世界音楽」と呼んでしまうような、スタンダードが欧米にあることに対する、冷静なプロテストの意志を感じます。

私は別に「日本すごい」と言いたいわけではありません。が、あまりにも私たちは毒気を抜かれてしまっていて、いつの間にか欧米に合わせないと売れないと思ってしまっている。その現状を変えるために何かできないかという気持ちがあります。

脳のアートする領域

熊澤　美術の世界でも、美術史の中心になるのはギリシア・ローマ、ルネサンスはイタリア、近代美術は19世紀のフランス美術であるわけです。モダンアートは、その19世紀の美術を乗り越える美術、ということになっています。それがどのような場所で定義されるか、というと、それはヨーロッパでありアメリカです。そのような基準をつくってきたのはロンドンのナショナル・ギャラリーであり、ルーヴル美術館であり、大英博物館であるんですね。

近年、そういう美術のものの見方を乗り越えようという運動が各地に出てきています。ヨーロッパ中心主義ではない見方も提示しようとしていて、たとえばオランダ美術では、17世紀は怒濤の経済成長があって、美術ではレンブラントやフェルメールが活躍し、「黄金の世紀」と呼ばれました。

しかし最近、「本当に黄金だったの？」とオランダの人が言い始めたんです。それは、その時代の絵に、奴隷を描いたもの、黒人女性を凌辱している絵すらあるからです。自分たちにはそういう超えげつない世界、暗い歴史があったということをミュージアム自体で見直そうとしているんですね。

中野　すごいですね。第2章でアムステルダム博物館が売春街という、街にとって好ましくないものについても取り上げるというお話を伺いましたが、そこまで公平に真摯に自分たちの歴史と向き合っているのですね。

熊澤　文化芸術の世界では、その歴史的な意義を読み直すというのは常にあります。アムステルダム博物館が「黄金の世紀」という呼称を使わないようにしよう、という動きはとてもわかりやすいものですが、かつての文化・芸術の現象を再度読み解こうとしています。こういうことは、調査・研究をしている場所が機能していればかならず起きるのです。

ミュージアムであれ、図書館であれ、研究機関であれ、教育機関であれ、こういう「新しいもの」は日々育ちます。それは日本でも同じなのですが、劇的な爆発のような現象ではないわけですから、どうしても見えづらいんですね。

それでも、ミュージアムはそういう豊かな活動をしている場所である。そんな場所が日本にはたくさんあるということがメリットになるといいと思っています。

中野　「国家百年の計」というけれど、100年間のことを考えられるのは人間だけです。そもそもそんな時間感覚を処理できる脳の領域を他の生物は持ちません。

また、目の前に100円あって、それが1週間後に2割増しになるとします。1週間待って120円をもらうために目の前の100円を取らない、つまり、目先の得よりも後の利益のほうを優先することも私たちはできます。2割（20円）と1週間の価値を天秤にかけるという計算をするのです。まあ20円では目先の得をとってしまうかもしれませんが、これが20万円ならどうでしょうね。

こうした時間感覚や先のことを考えて自分の行動を抑制したり、損得を比較したり、情報を統合していろんなことを考える脳の領域は大まかに2ヵ所あり、美と情報を処理する領域と重なり合っているのです。ここはまた、道具の使用を精密にできるかどうかということやメタファーも同時に処理する、いわば「アートする領域」なんです。

熊澤　脳科学的なアプローチというのが、ミュージアムの有用性を説得的に言えそうというのは面白いですね。

私は最初実感が湧いていなかったのですが、少なくとも、文化・歴史・芸術をコレクションし、学び、プレゼンテーションする公共の場所をミュージアムとするなら、それをじっくり育てるためには、目先の利よりも100年後の利、という視点は必要ですし、その間にじっくり育てる、というか醸成させるための豊かな場所が、脳の活動と相似をなすのであれば、これらの施設の存在意義として理解してもらいやすいかもしれません。

脳がなければ人は動かない、というか、「存在しない」ということかもしれない。

アートが社会にもたらす絶大な効果

中野　美術を可能にする脳領域というのは、私たちの損得と密接に関わっていて、このセンスがきちんと領域として成熟、機能している人のほうが人間社会、あるいは生物として生存適応的であると考えることができるんです。

目の前にある米を全部精米して食べてしまうのか、食べずに取っておいて、これをまいて、収穫して、たくさんの人が養えるようになるという来年の大きな得を得られるようにするのか。

たしかに、明日明後日のことで考えれば、今全部食べてしまうほうが得かもしれない。食べてしまえば盗まれもしないけれども、10年、20年先を考えれば食べずに取っておける人のほうが得に決まっていますね。そういうことができるか、できないかというのを私たちはどう表現しているか。

先々のため、あるいは皆のためにふるまう、その行動の規範を私たちは「美意識」と呼びます。がめつくないとか、自分の欲を節制できるとか、品よく振る舞えるとか、正しい・正しくないという表現よりも、美しい振る舞い・醜い振る舞いというふうに表現する。

かつてこれは、人としてという「倫理」であったり、そのムラの中の不文律であったり、宗教的な規範であったりという形で、私たちの行動を一定の範囲内におさめることに成功してきました。

しかし、科学が十分に発達した21世紀の今、共同体の論理や明文化されない倫理、神の威光を借りてそれを行うことは難しくなりつつあります。これらに代わるものが、私たちの持っている美の記憶と記録なのではないでしょうか。

そういう意味でも、美を持たない種族より、美を持っている種族のほうがより生存適応的なのかもしれません。アートは明日生きるために必要ではないかもしれないけれど、100年後も200年後にも生きのびるためには必要なものなのです。

ぜひ、皆さんにも、毎回生まれ変わるような気持ちで、ミュージアムの扉を開けてみていただきたいなと思っています。

おわりに　日本は世界に類を見ないミュージアム大国

熊澤　弘

本書での私の役割は、「ミュージアム」、つまり博物館や美術館がどのような場所なのかを、読者の皆さんにご案内することです。

日本にはご存じの通り、とても多くのミュージアムがあります。科学博物館も、交通博物館も、民俗資料館も、そして美術館も、それぞれ「科学」「交通」「民俗」そして「美術」をテーマとするミュージアムです。そして、国立・都道府県立・市町村立の公立博物館もあれば、個人・企業・各種団体が主宰する組織を含め、日本には約5700館の「博物館」があります（2018年10月現在。文化庁資料より）。

これだけ多くのミュージアムがあり、様々なコレクションがあり、展覧会や教育プログラムを含めた魅力的なイベントがあります。特に、美術館には、古美術から現代アートまで、様々な時代・ジャンルのアートが収蔵され、展示されています。そのおかげで、日本は世界に類を見ないミュージアム大国である……ということは、ミュージアム・ファンにとってはある意味で当然のことであり、彼らの知的好奇心を刺激する多くの展覧会が行われ、鑑賞する人たちはそれを大いに語り合い、ある人はその感想をソーシャルメディアに載せ、この鑑賞体験を様々な形で共有し合っています。

このあとがきを執筆している2020年9月時点で、世界を襲った新型コロナウイルス禍により、世界の多くのミュージアムが活動を縮小させました。最近ようやく開館しつつあるとはいえ、入場者数は制限され、入場するときにはマスクをつけ、検温、消毒が必須となるなど、来場者にとって神経を使う手間は増えました。

このような不便がいつまで続くのか定かではないという状態が、私たちの不安をさらに募らせます。このような状態であるにもかかわらず、ミュージアム内外の関係者は展覧会を開こうと必死の努力を重ね、ミュージアム・ファンも何とかして展覧会を訪れようとしています。ミュージアムとはこれほどまでに、人を惹きつける場所なのです。

ではミュージアムとは、このジャンルが好きな人の好奇心を満足させるだけの場所なのでしょうか？　美術や歴史などに興味がない人にとっては、それは単なる箱モノ建築といった無駄なもの、興味を持ちようのないもの、もしかしたら、その雰囲気が妙に人に嫌悪感を与える存在だ、と思う人がいるかもしれません。あるいは、華々しい大規模な展覧会が開かれていたとしても、「訳の分からないものに行列をつくっているなあ」と思う人もいるでしょう。

本書で私がご紹介したのは「ミュージアムには公的な役割がある」ということです。その役割とは、「資料を収集し、保管……し、展示して教育的配慮の下に一般公衆の利用に供し……これらの資料に関する調査研究をすること」（博物館法第2条）となります。この資料、つまり「博物館資料」「ミュージアム・コレクション」を維持し、それが何かを調べ、それを人々に向けて伝えることこそが、ミュージアムの本務なのです。

このような活動は、展覧会と比べればはるかに地道なものです。ただ、この活動が積み重ねられた結果、博物館資料は保存され、長い歴史を持つ文化財は損傷を免れ、なんとか生き残ります。そして、その残された文化財や資料から、失われた歴史の断片が再現されたりするのです。

ミュージアムの公的な役割として、この博物館資料が、そしてその建物の展示空間が、市民のために開かれている、というもう一つの点も挙げておきたいと思います。展示室は、来場者がコレクションとアクセスする場所です。ただこの展示室で行われる「見せる」「知らしめる」という行為は、パワー、権力に満ちたものです。なんといっても、人が「選び」「見せる」という行為そのものが、ある種の主張を提示したりする、政治的な行為とも言えるからです。

このように考えると、ミュージアムとは、膨大にモノをため込み、情報が多義的に充満した、とても多元的で、複雑で、全貌がよく見えないところであり、そして「人々のもの」という、極めて独特な場所であることが分かると思います。膨大な情報を積み重ねた場所といえば、他に図書館があります。モノと情報が蓄積され、人々がその一部にアクセスする、という意味では、ミュージアムとよく似た場所と言えるでしょう。そして、膨大にモノをため込んだ場所が、ともに「ヤバい何か」を生み出してしまいかねない場所でもあることは、本書でもご説明した通りです。

今回、中野信子さんから『脳から見るミュージアム』企画のお話を頂いたとき、率直に「これはありがたい」と思いました。それは、私が普段仕事をしているミュージアムの世界を、新しい視点でご紹介できるのではないか、という期待があったからです。

中野さんは、私がいまご説明したミュージアムのありように、「脳」という文脈から関心を持たれました。あいにく、私自身が脳科学に通じていないというお恥ずかしい状態ではありますが、ミュージアムと脳を類比的に語ることができるかもしれない、という視点は、新たな発見でありました。

本書を準備するにあたり、中野信子さん、そして講談社現代新書の青木肇さん、米沢勇基さん、編集者の小峰敦子さんに大変お世話になりました。作業に慣れていない私を後押しして下さった皆さんに感謝申し上げます。

最後に、脳としてのミュージアムについて一言付け加えたいと思います。

ミュージアムには、何千年、何万年、何億年前に存在したものがあり、世界各地の様々な文化、自然から生み出されたものがあります。それらはじっくり長い時間をかけて、「エキス」を作っているようなものです。そこででき上がるものは猛烈な滋味のある世界といえるでしょう。

ミュージアムは、衰退させるにはあまりにもったいない場所です。いや、衰退させてはいけない場所であると申し上げたいと思います。それは、人間世界の文化・歴史の森羅万象を記録した「脳」のような場所なのですから。

編集協力：小峰敦子

【図版・写真提供】
p37：Artothek/アフロ
p86：長田洋平/アフロ
p130：共同通信社
p143上：ONLY FRANCE
p145：AFP＝時事
p150：HEMIS/アフロ
p156：時事
p166：佐山慶太/アフロ
p181：AFP＝時事
p58：SIME/アフロ
p126：HNコレクション/シリアルキラー展2019
p139：GRANGER.COM/アフロ
p143下：EPA＝時事
p146：AFP＝時事
p155：福武財団
p164：AFP＝時事
p178：HEMIS/アフロ
p194：ロイター/アフロ

N.D.C. 069　222p　18cm
ISBN978-4-06-521440-4

講談社現代新書　2592

脳《のう》から見《み》るミュージアム　アートは人《ひと》を耕《たがや》す

二〇二〇年一〇月二〇日第一刷発行

著　者　中野《なかの》信子《のぶこ》　熊澤《くまざわ》弘《ひろし》

発行者　渡瀬昌彦
発行所　株式会社講談社
東京都文京区音羽二丁目一二—二一　郵便番号一一二—八〇〇一
電　話　〇三—五三九五—三五二一　編集（現代新書）
〇三—五三九五—四四一五　販売
〇三—五三九五—三六一五　業務
装幀者　中島英樹
印刷所　凸版印刷株式会社
製本所　株式会社国宝社
定価はカバーに表示してあります　Printed in Japan

「講談社現代新書」の刊行にあたって

教養は万人が身をもって養い創造すべきものであって、一部の専門家の占有物として、ただ一方的に人々の手もとに配布され伝達されうるものではありません。

しかし、不幸にしてわが国の現状では、教養の重要な養いとなるべき書物は、ほとんど講壇からの天下りや単なる解説に終始し、知識技術を真剣に希求する青少年・学生・一般民衆の根本的な疑問や興味は、けっして十分に答えられ、解きほぐされ、手引きされることがありません。万人の内奥から発した真正の教養への芽ばえが、こうして放置され、むなしく滅びさる運命にゆだねられているのです。

このことは、中・高校だけで教育をおわる人々の成長をはばんでいるだけでなく、大学に進んだり、インテリと目されたりする人々の精神力の健康さえもむしばみ、わが国の文化の実質をまことに脆弱なものにしています。単なる博識以上の根強い思索力・判断力、および確かな技術にささえられた教養を必要とする日本の将来にとって、これは真剣に憂慮されなければならない事態であるといわなければなりません。

わたしたちの「講談社現代新書」は、この事態の克服を意図して計画されたものです。これによってわたしたちは、講壇からの天下りでもなく、単なる解説書でもない、もっぱら万人の魂に生ずる初発的かつ根本的な問題をとらえ、掘り起こし、手引きし、しかも最新の知識への展望を万人に確立させる書物を、新しく世の中に送り出したいと念願しています。

わたしたちは、創業以来民衆を対象とする啓蒙の仕事に専心してきた講談社にとって、これこそもっともふさわしい課題であり、伝統ある出版社としての義務でもあると考えているのです。

一九六四年四月　野間省一